李國修
戲劇作品集 ⓵
Collected Plays of Hugh K.S. Lee

半里長城

半里長城　目錄

序

半里長城

附錄

序

創意達人李國修的創造力歷程

吳靜吉

政大創造力講座主持人／名譽教授

　　李國修劇作集系列套書終於在引頸期盼下出版了。

　　累積二十六年創作及其演出的作品，在整個世界尤其是華人社會特別重視創意、創新和創業精神的創造力之今天，意義非凡。每一部作品都是從創意的發想啟動然後創新實踐地完成劇本寫作，而每一齣戲的製作演出都是創新的冒險，必需經過觀眾、票房和劇評家的重重考驗。在一個多數決策者、社會菁英和一般民眾，並沒有把觀賞舞台劇表演當作文化認同的養份之台灣，考驗更難、冒險更大。

　　李國修構思屏風表演班創團經營二十六年至今，我們可以從他作品中感同身受他創業的酸甜苦辣，所以他說：「一個戲班子在舞台上搬演一齣戲，戲裡戲外都在反映戲台下的人生即景。我喜歡在舞台上藉一個戲班子的故事影射台灣這個社會；我偏好『戲中戲』的題材，因為我始終認為舞台上戲班子的人情世故就是這個時代的縮影。」

李國修是一個創意無限、執行力強的劇作家，每一個劇本的演出，他同時扮演導演和劇團領導人等等的多重角色，和歐、美、日、中、韓不必扮演多重角色的劇作家不同，他卻能在二十六年內完成二十七部劇作而且部部呈現在觀眾眼前。這樣的創作流暢力真的是奇蹟，他每一部作品都是獨創而有意義的創意構思，以《京戲啟示錄》為例，他可以流暢地創意組合「一位堅持做手工戲靴的父親。一個亂世中企圖重振頹勢的戲班子。一段探索父子、傳承、戲劇與人生，令人神往的故事。」這麼多複雜元素的創意組合，他卻成功地將故事敘說得合情合理，令觀眾感同身受而流淚、回憶反思而讚嘆。

　　李國修的作品都能夠重新詮釋自己成長記憶中的生命故事，選擇性地反映社會樣貌，他的自我反思、對社會的關懷、對戲劇的激情、理性和感性兼具的創作表現、對複雜元素的抽絲剝繭再統整發展的素養、舉一反三的學習能力、落實的想像力、忍得住創作的寂寞又能堅持原則、抗拒外在誘惑的毅力樣樣難能可貴，這樣的李國修就是研究創造力的學者專家所描述的創意人。

　　他戲劇的另外一個特色就是悲喜交集的故事發展，他的幽默和笑點的掌握、文字的運用、人物的刻劃和劇情的結構，我們也可以因此稱他為說故事的奇葩。

　　他的創作歷程體現了王國維在《人間詞話》中所謂古今之成大事業、大學問者，必經過三種之境界。

「昨夜西風凋碧樹。獨上高樓，望盡天涯路。」

「衣帶漸寬終不悔，為伊消得人憔悴。」

「眾裡尋他千百度，回頭驀見，那人正在燈火闌珊處。」

台灣戲劇的發展，急需更多的好劇本，只當劇作家很難生存，集編導於一身加上領導一個戲劇團體又能在二十六年中創造二十七部好劇本實在難上加難，但李國修做到了。希望這二十七部的劇作集能夠讓華語的戲劇界增添演出選擇的機會和戲劇教育中學習探究的教材。

經典堆疊起一座
如高牆的屏風

廖瑞銘

中山醫學大學台灣語文學系教授兼通識中心主任

　　「國修要出劇本全集了！」這是台灣現代劇場的盛事，也是文學史上的大事。二十六年來，屏風表演班每年發表一至二齣新作，建立「以戲養戲」的營運模式，2005年以後，更以舊作做經典定目劇場的演出，為台灣現代劇場史創下許多傳奇的記錄──單一劇團演出總場次之多，累積觀眾人次之多，劇作重演次數之多，最重要的是集編導演於一身的單一劇作家創作量之多──這些記錄使屏風／李國修成為台灣劇場活動中的佼佼者。

　　李國修劇作從初期的小劇場實驗劇、小說改編的劇作發展到大劇場寫實劇，作品的題材、形式及風格都有不斷地突破與創新。總的來說，國修的劇作有以下幾項成就，這些成就堆疊起來一座如高牆的屏風，格局壯麗雄偉，戲劇風格辨識度極高，讓後來者很難超越，更無從模仿。

一、與時代同步發展，與觀眾沉浸在共同的歷史情境，關懷國族與土地。

　　李國修堅持原創實驗、本土庶民的創作精神，每一齣作品都是台灣現代人民生命歷史的記錄。早期「備忘錄系列」——《民國76備忘錄》、《民國78備忘錄》以年度時事做素材，「三人行不行系列」——《三人行不行I》、《三人行不行II—城市之慌》、《三人行不行III—OH！三岔口》、《三人行不行IV—長期玩命》、《三人行不行V—空城狀態》等，是從時事及城市現象觀察出發，講當代台灣人的政治、社會態度。《我妹妹》講眷村故事、《蟬》講六○年代台北文藝青年、《女兒紅》及《京戲啟示錄》講經歷1949年國共變局的家族故事、《六義幫》回憶六○年代中華商場的兒時情境、《西出陽關》講老兵的故事，《救國株式會社》諷刺台北的治安、媒體，《太平天國》講台灣人在世紀末的恐慌與焦慮。

二、創造戲劇角色典型，精確掌握人性。

　　李國修在每一齣戲都創造各式各樣的角色典型，藉著這些典型來鋪排人世間的親情、愛情與人情義理。這些典型的角色也都是你我生活週遭常見人物的寫照，像《三人行不行III—OH！三岔口》的郭父，是常見的台灣歐吉桑，講求實際利益、又有情有義；他的女婿Peter就是十足投機的年輕商人。《西出陽關》的老齊是戰後到台灣的老兵典型。《徵婚啟事》講到更多台灣寂寞男人的典型。創造這些角色典型，顯示國修對於人性掌握的精確、細微。

三、精巧建構「李氏戲劇結構學」，穿越時空。

　　李國修在每一齣劇本都附上獨特的場次、角色結構表，這可以說是他的獨門絕學──「李氏戲劇結構學」。這種精巧建構的「劇場結構」成就了李國修劇作的劇場形式不斷地實驗與創新，戲劇情節可以在不同的時空靈活流動、穿越，增加戲劇張力與敘事多樣性。

四、編導演一體成型的全方位戲劇藝術，劇本有畫面，是一座紙上舞台。

　　李國修劇作的另一個特色是「編導合一的戲劇創作觀」，他的劇本絕對不會是單純的書齋劇，每一本都具有劇場可演性，而且都是自己擔綱演出過。也因此，國修在劇作中不時表達他對劇場生態的關懷及經營劇團的甘苦經驗。像「風屏劇團系列」多次呈現經營劇團的困境；《徵婚啟事》也是鑲進「某劇團」的排演過程，以增加戲劇張力。

五、走出書齋，與觀眾同喜同悲，超越商業票房意義。

　　雖然屏風曾經有票房悽慘，甚至出現經營危機的時候，但是，大部份的演出都是有亮麗的票房記錄，說明李國修的劇作所具有的商業魅力。這種魅力更精確的解讀是，李國修每一齣劇作都能夠走出書齋，與觀眾同喜同悲。李國修隨時與觀眾做時代對話，即使是舊作重演，都一定要與時俱進的修改後，才推出演出。

六、多語言的戲劇美學，突顯台灣多元文化的特色。

因為每一齣戲都從實際生活中取材，創造不同的角色典型，李國修堅持讓角色自己說話，所以，在他的劇作中自然出現多語言的對白，有國語、閩南語、客語、山東話、上海話、英語、日語、香港廣東話、新加坡華語……等，不但使得劇中角色鮮活、增加戲劇趣味性，也無意中突顯了台灣多元文化的特色。

七、台灣文學與戲劇的交會，豐富台灣文學史的戲劇區塊。

李國修崛起於八〇年代中期，其戲劇作品一定程度反映了台灣的土地與人民，延展出的多面性與時代意義，不僅提供外省族群在台灣生活的觀察視角，也使作品成為帶有「本土化」色彩的另類歷史文本。尤其是李國修的作品相當程度擺脫了戰後台灣外省人文學常有的哀愁基調，相對展現出不同的意義格外值得我們重視。

將李國修的劇作放進台灣文學領域來觀察，可以為戲劇文學創作開創新的閱讀視野，值得一提的是，李國修曾經從三本不同時代的台灣小說作品——林懷民的《蟬》、陳玉慧的《徵婚啟事》及張大春的《我妹妹》——改編成舞台劇上演，創造了戰後台灣文學與戲劇的交會，同時豐富了台灣文學史的戲劇區塊。

李國修的作品曾經以戲劇文學的身份被放入台灣文學的領域來討論，並獲得肯定，在1997年以《三人行不行》系列作品獲頒第三屆巫永福文學獎，也因此使戲劇文學連帶受到重視，提昇了地位。如今，李國修出版劇作全集，充分展現了他在戲劇創作的質與量的驚人成就，可以當做台灣現代劇場運動的實踐成果，看到他在台灣劇場史的地位，也驚艷台灣戲劇文學的經典呈現。

李國修

自序

從來沒有人教我如何寫劇本

1986年10月6日，屏風表演班創建。

創團作品——《1812與某種演出》一齣肢體語言實驗劇，在我規劃與引導之下的集體創作。當時的社會環境與氛圍，小劇場創作必須有別於商業劇場，我也依循著前人的模式，自以為是地繼承了實驗劇場的精神。一、脫離一切戲劇形式（不在劇場裡說故事）。二、表達新的戲劇方法（簡約、抽象、或寫意的語言、肢體與主題）。三、過程大於結果（支離破碎的思想、浮光掠影的想像、漫無邊際的形式）。四、只要盡興（創作者自我滿足與集體自我陶醉）。

在實驗的大旗下，《1812與某種演出》首演五個場次，約五百人次觀賞，我確定沒有一個人看懂這齣戲。事實上它不是一齣戲，它由兩個部份組成。《1812》用柴可夫斯基〈1812序曲〉為背景音樂，以集體肢體演繹在城市裡有著一股壓抑著現代人生存的隱形暴力，讓人喘不過氣。《某種演出》採擷了三

個歷史殘篇——〈三娘教子〉、〈十八相送〉、〈十二金牌〉在同一時空壓縮並陳，旨在陳述城市中處處充滿不安的危機、殺機與轉機。

我必須承認，我有包袱，一開始我以為做劇場就該承接前人的使命——劇場是嚴肅的、劇場是深沈的、劇場是探索思想的殿堂、劇場是不能提供娛樂的殿堂、劇場是與觀眾鬥智的場域、劇場是不能做讓觀眾看得懂戲的場域、劇場是批判政治亂象的最後一塊淨土……於是，那個年代小劇場的作品內容多半都是嚴肅、沈悶、闡述思想、批判政治、嘲諷時事。有些作品內容甚至已經漫無主題，不知所云。是的，我也承接了這樣的包袱。

創團作品首演之後，我必須承認我很沮喪。我問自己，為什麼要在劇場做戲？為什麼要在劇場做一齣讓觀眾看不懂的戲？看著觀眾搖頭嘆息地走出劇場，我的心情是低落的、不安的、自責的……

我有勇氣寫劇本

在那個年代，我找不到一個劇本書寫格式的範例，也找不到關於編劇技巧的工具書，我只能硬著頭皮鼓足勇氣，走進書房攤開稿紙，寫了屏風第二回作品《婚前信行為》。我想像即將新婚的妻子在婚前去找他的前男友，最後一次求歡以結束這段難忘的戀情。不巧，前男友的老友來送喜帖，赫然發現他的新嫁娘也在現場。藉著這個作品，我試著向實驗劇場劃清界

線。我要說一個故事，我以為觀眾進劇場，至少他們可以看見一個故事，一個可能與他成長經歷有關的故事。但我承認我還有包袱，我似乎不由自主地在戲裡灌進了一點故作批判社會的主題。在故事中，我刻意讓準新娘在中途脫離劇情，硬逼兩位男主角對社會不公不義現象表態，演出因而暫停，劇情因此而停滯。

三個演員不能解決與本劇無關的社會亂象，最終他們還是回到劇情裡演完了他們的故事。《婚前信行為》發表之後，我依然忐忑不安，我知道，我的故事說的並不完整，劇中的角色並不真實可信。

其實我不擅長說故事

1982年～1984年，我在華視，小燕姐（張小燕）主持的《綜藝100》演短劇，也編劇，1985年，我與顧寶明合作《消遣劇場》綜藝節目，身兼短劇編導演，這樣的背景；是我在屏風創作喜劇的養分，有其優點也有缺點。

優點是，我的喜劇就是很好笑，我有瘋狂的想像力，我有許多荒謬的點子，我喜歡運用各種看似平淡無奇的元素重組成充滿趣味與諧謔的喜劇情境。缺點是，沒有深度，主題薄弱，人物缺少靈魂、思想、慾望甚至目標。屏風第三回作品《三人行不行I》、第五回作品《民國76備忘錄》、第六回作品《西出陽關》、第七回作品《沒有我的戲》、第九回作品《三人行不行II—城市之慌》、第十三回作品《民國78備忘錄》等，

在屏風創團的前三年，不難發現都是短劇集結的作品，他們共通點是——每一齣戲都沒有一個完整的故事。坦白說，我還不知道如何組織一個好故事，我還沒有能力說一個超過兩小時的長篇故事，創團前三年我只能發揮編導喜劇的專長，在小劇場裡搬演，也戲稱自己在小劇場裡練功。我練導演功，也練編劇功。在小劇場裡，我的導演調度處理過一面觀眾席，兩面觀眾席，三面觀眾席。在編劇部份，我不斷地探索喜劇的可能性，演員面對角色創造的最大極限。於是在一齣戲裡，一人飾演多角，成為我作品的特色，在編劇技巧的自我修練中，竟也無心插柳地走出自己的風格。

其中，最令我自豪的部份是——堅持原創。我認為選擇一個翻譯劇本演出，是便宜行事，是二手創作。我自信創作的素材就在身邊，就在自己腳踩著的這片土地上。

自由自在的飛

我是摩羯座，我很守法，我很守規則。做任何事之前，我總想知道規則是什麼？遊戲怎麼玩？在遊戲中的危險程度是什麼？遊樂場到底有多大？當我熟悉了整個遊樂場的環境，我玩遍了所有的遊戲，我深入瞭解了規則的原理之後，我成為最不守規則的人。我決定自闢一個遊樂場，建立起自己的規則，我邀請大家進入我的遊樂場展開一場驚奇的旅程。

我破壞了規則，建立自己的規則，在我的作品中，逐漸顯現我人格上這樣的特質。誰規定劇本創作，只能獨立成個

體？我硬是創作了《三人行不行》系列，第一～五集；風屏劇團系列，三部曲加李修國外傳《女兒紅》；誰規定在劇場的演出結束後，才能謝幕？我在《莎姆雷特》裡硬是把謝幕放在戲的開始。誰規定鏡框式的舞台就該墨守成規，框架成一個場景情境的場域，我在《六義幫》裡就要去除兩邊的翼幕，讓故事在舞台上任意穿梭。魔羯就是這樣——認識規則，遵守規則，破壞規則，建立自己的規則。目的只有一個字——「飛」！自由自在地飛！

小劇場是大劇場的上游

　　第十一回作品《半里長城》，是屏風創團兩年半之後，首度登上大劇場的作品。《半里長城》風屏劇團首部曲，這齣戲中戲裡有兩個故事，一是風屏劇團團員的分崩離析、兒女私情；一是呂不韋由商從政的稗官野史。劇本的結構原型部份靈感源自於《沒有我的戲》。兩齣風格、內容、形式完全不相同的作品，都是在演出進行過半之後，竟宣告全劇將正式開演。是的，我在小劇場練功，累積了我躍上大劇場創作的養分，我鍾情於小劇情的無拘無束，我想念在小劇場裡拼鬥的日子。

　　回憶起童年，記得在小學三年級，某一個週日，我好奇地拆開了一只鬧鐘，我想研究內部的機械構造究竟是什麼樣的零組件，可以讓分針、時針移動，還會響鈴？一個下午將近五個小時。最終，我無法組裝成原樣，桌子上多了一些小齒輪、彈簧片。我知道這只鬧鐘不會再響，第二天上學也足足遲到一

個小時。兩個禮拜之後，我再度拆開那只鬧鐘，我不相信它會毀在我的手裡。同樣也是五個小時，少年的我，才知道「皇天不負苦心人」這句話的真諦。鬧鐘復活了，只是響鈴的聲音比從前的音量低了一倍，我深深地憶起當時在組裝時手心不停地冒汗。

完成了《半里長城》裡的《萬里長城》劇本時，我知道我不會讓戲就這麼平鋪直述的演完，我不安分，我不守規則，我在書房裡，想像讓自己回到了小劇場，讓自己回到了童年，我要無拘無束，我要拆鬧鐘，我十分用力地拆解了《萬里長城》的劇本，重新組裝成情境喜劇《半里長城》。我努力地找到了自己編劇的方法，找到了自己說故事的方式，我越來越喜歡把簡單的人事景物情搞成複雜的結構，原來和我童年拆鬧鐘的個性相關。

什麼先行？

我深信一個好的戲劇作品，應該具備四個精神：一、對人心現象的呈現及反省。二、對人性的批判或闡揚。三、對人性的挖掘及程度。四、技巧與形式的講究。

在我面對每一個作品創作前，一定會有一個念頭閃過腦海——什麼先行？也可以說原始靈感來自何方？是感動？是一首歌？一幅畫？一種情境？……我的每一齣戲靈感來源都不盡相同，在創作每一齣戲隨著年歲閱歷的增長，所投入的情感也越加濃郁，從創作中也逐漸梳理出自己的信仰。每齣戲有了

靈感之後，會問自己兩個問題：一、為什麼要寫這齣戲？二、這齣戲跟這個時代有什麼關係？這幾年我更聚焦在作品裡呈現生命的故事……

述說生命的故事

1996年屏風十週年推出《京戲啟示錄》是我創作旅程中的轉捩點作品。平心而論，在《京》戲之前我的作品多是純屬虛構，純賴想像力完成的故事，直至四十而不惑的我，才驀然回首我的前半生，尤其在屏風那十年裡，我僅只是透過作品表達我對生活的看法及態度，也可以說那些作品故事鮮少涉及我自身成長經驗。

創立屏風後，我攜家帶眷、拉班走唱了十年，回首故往，泫然淚如雨下。原來，作劇場的那股拼鬥的傻勁，全是源自於我父親對我的影響，我感受到了那股傳承的精神與壓力。我坦然自省，我勇敢面對，懷著虔誠與虛心的態度，我認真地面對了「生命」，我開始意識到了生命的可貴、傳承的意義以及堅持地走自己的路是面對人生唯一的執著！在《京戲》劇本落筆之前，我哭掉了兩盒面紙，我也預知多年以後，我將為母親寫一個故事《女兒紅》。自《京戲啟示錄》以後，我也開始學會在舞台上更深刻地呈現生命的故事。

當我在組合鬧鐘，我相信鬧鐘會讓我修復的時候，我的手心會冒汗；當我落筆寫下讓我悸動不已的劇本時，我的手心也會不斷地冒汗。這些劇本是：《西出陽關》、《京戲啟示

錄》、《三人行不行IV—長期玩命》、《我妹妹》、《婚外信行為》、《北極之光》、《女兒紅》、《好色奇男子》、《六義幫》。

2013年，屏風表演班將邁入第二十七年，踏過了四分之一世紀。

感謝印刻協力集結了我二十七個劇本，將之付梓面世。

感謝父母給了我生命，

感謝王月、Sven、妹子和我的家人，

感謝吳靜吉、張小燕、林懷民、陳玉慧、張大春、

廖瑞銘、紀蔚然，

感謝指導、協助我創作的親朋好友，

感謝在我劇本裡出現的每一個人物。

如果你要問我，在這廿七個劇本裡，

你最滿意的作品是那一個？

我的回答，從來沒有改變過——

「我最滿意的作品是 下一個！」

半里長城

半里長城

3 首演日
東門守關吏帶著兩個女兒春花、秋月前來呂府，賣女為婢。

編導的話

兩面鏡子

李國修

戲不說從頭

　　《沒有我的戲》裡有一個橋段是這樣子的：七點鐘觀眾入場，七點半演出開始，在進行一些喜劇片段之後，曾國城才突然出場宣佈：「演出正式開始，本節目禁止錄音，否則──（演員不語，以極度誇張的身體線條，故作前衛風格的肢體表演）；本節目也禁止錄影，否則──（演員拿一塑膠袋套在頭上矇住臉，煞有其事地正常表演）。以下全劇將不能說出一個『我』字……」。其實，當曾國城宣佈演出開始時──戲已經演了三十分鐘了。

　　這個概念後來延伸到《半里長城》：戲剛開演時，風屏劇團還在進行彩排，等到風屏劇團的《萬里長城》這齣戲中戲正式公演時，上半場已經快結束了。而在過程中的《萬里長城》場次也不依序呈現，而是有機地跳躍，以致於《萬里長城》的第一場戲〈華陽夫人〉是到了下半場才呈現在觀眾眼前。

　　我不是愛標新立異，或是刻意花俏地去編排場次結構，而是一種來自生活的觀察。其實，我覺得「戲不說從頭」也是

一種人生態度。我常常覺得人生中有些事情就是這麼直接、突然地發生了；有些事情我們只是比較晚參與或介入而已，但是它早就發生了；有時候我們根本很難去找到事情發生的原點，甚至我們常常是「切入」與「切出」一件事，我們無法去指辨其間的界限。我想說的是：「戲在開演之前已經開始，戲在落幕之後還在繼續。」

戲與人生之間那條界限，很難去描繪。有時候，我們發現自己在生活中常偽裝扮演另一個人，那是你希望別人所認識的你；有時候，我們發現演員在舞台上卻好像過得很真實，好像台上的那個角色就是我們一直壓抑隱藏在內心中的另一個真實的自己。

莎士比亞的《暴風雨》裡有一句台詞：「世界是一個大舞台，世上的男男女女都是演員。」我想大概就是這個意思吧！

從來就不是歷史劇

有一次在開服裝設計會議時，設計師璟如問到導演《半里長城》對於時代的歷史考據要做到多細？對於服裝風格與顏色的基調設定為何？我想了一下，回答說：「歷史僅供參考」。我第一個直覺想法是：秦朝的正色是黑色，舞台上的顏色太黯淡似乎會讓視覺變得很沉重，與喜劇的氛圍不搭；第二個想法是：風屏劇團是一個三流劇團，不太可能去講究這些細節，於是錯的反倒成為是對的；第三個想法是：「《半里長城》從來就不是歷史劇！」

我只想從史料當中去挖掘出能古今對照的歷史借鑑，而非「歷史的包袱」，況且，當司馬遷的《史記》中記載呂不韋是秦始皇生父的說法都遭到許多學者質疑時，去講究歷史的正確性，對這齣戲來說好像已經不是那麼重要了。歷史只是一個藉口，一種形式的借用，我對為歷史人物重新定位、評價、或是翻案沒有太大的興趣，我在乎的是歷史與現代相對應的軌跡，那是一種超越時間與空間的人性價值。

　　我想到去年有一則新聞，一個蒙特婁的男子用一枚紅色的迴紋針在網路上與人交換物品，經過十四次以物易物的交換，他換到了「在一棟兩層樓的房屋免費住一年」！他說這靈感來自於一個小孩子玩的交換遊戲「越大越好」（ Bigger and Better ）。

　　呂不韋與他父親有一段著名的對話：「呂問『耕田之利幾倍？』父答：『十倍。』又問：『珠玉之贏幾倍？』父答：『百倍。』再問：『立國家之主贏幾倍？』父答：『無數。』曰：『今力田疾作，不得暖衣餘食；今建國立君，澤可以遺世。願往事之。』」。

　　我們從中不難去理解呂不韋並不是個錙銖必較的蠅利小販，而是一個極具政治野心與交際手腕的亂世梟雄。他一切以利益為出發點。他永遠清楚他手上握有多少籌碼，知道該怎麼去「推銷」他的「商品」。從趙國的陽翟商人呂不韋，一路到秦朝的呂相國，他確實為「商人無祖國」這句話下了一個相當好

的註解。他以愛妾趙姬換得異人信以為真的秦室血脈，再以異人公子經過受寵的華陽夫人加持而換到了太子之位。這場偷天換日的大買賣讓我想到了兩千年後那個蒙特婁男子。他們都在交易的過程利用物品之間的「相對價值」不斷提升自己手中握有的籌碼，層層獲益，將一個眾人棄如敝屣的貨物，在幾轉之後身價暴漲。當與之交易者都在算計著自己賺了小便宜時，殊不知他們在「Bigger and Better」這場遊戲裡，其實是被利用來造就另一個大贏家——異人，就彷彿那枚紅色的迴紋針。人性中那種對於「利用別人來成就自己」的思維，似乎可以在這一東一西、一古一今的兩個故事中，找到相似的影子。不過，這兩者之間的不同在於：蒙特婁男子只是一種生活中的浪漫狂想，呂不韋卻在中國歷史上留下了他的名字。

　　《半里長城》劇中有一句台詞：「現在歷史發展的原理不是經濟遷就政治，而是政治服從經濟。」由今日看來，呂不韋的「奸」是「智慧」，他的「詐」是「權謀」。他在「錢」與「權」之間，巧妙地相互利用、發明。不知現今的政治人物或商業鉅子對於呂不韋會不會有一種似曾相識的感覺。

四築長城

　　《半里長城》的首演是在一九八九年，掐指一算，距今竟已是十八年前的作品了。當年《半里長城》是屏風自創團兩年半後第一齣踏上大舞台的作品，在演員表演、服裝、舞台、燈光等製作概念都與過去小劇場時期截然不同，當表演空間放大

了，劇場的相關元素也要被放大，才得以豐富舞台的呈現，而創作概念的改變不是「比例」的問題，而是「格局」的問題，這對於當時經驗尚不足的我是一種挑戰。而這次四度創作《半里長城》挑戰則是「層次」的問題。我這次特地要求處理演員表演的層次，喜劇表演的琢磨自然是不在話下，但重點是如何讓演員帶著風屏劇團角色的處境來進入《萬里長城》歷史人物的心境，這真的有點複雜。角色創作的過程分成兩部分：演員在同一個場景要先設定風屏劇團裡角色的目標，再設定《萬里長城》裡歷史人物的角色目標，因此演員必須同時要帶著兩個目標來進入角色，透過雙重的扮演來堆疊角色的心境。場景的部分，我特意處理舞台深度的前後層次，利用白紗與黑紗的間隔以及投影的使用，搭配「上舞台」的調度與流動，來製造出景深。因此，佈景都是一景多用，這場的主景到了下一場就便成了背景來襯托，例如第二場的主景是興安宮，到了第六場主景是興樂宮時，興安宮就移到舞台區域的黑紗後方，利用機關設計將宮殿的屋瓦廊柱變成斷垣殘壁，再打上火紅的燈光成為背景，意味著遠方一角的正在失火的宮殿，映襯著興樂宮前屍橫遍野的狼籍場面。就這樣透過排列組合的方式在有限的資源與空間裡創作，有點像是在劇場裡玩樂高積木的遊戲，又有點像是在玩魔術方塊，在同中求異，在規律中求變化。

不知道各位有沒有這種生活經驗，當你在梳妝台前拿起一個小鏡子照臉，無意間當手中的小鏡子與身前的梳妝鏡相對

的那一剎──自己的那張臉在那兩面鏡子之間似乎幻化出千百個複像，看似一致的臉孔，卻依著等比例縮小，而有著規律的變化。

　　歷史是一面鏡子，劇場也是一面鏡子，《半里長城》就將這兩面鏡子放在舞台上，相互照映。人生在兩面鏡子的對照之下，出現在我們眼前的是一個又一個清晰的影像。原來歷史、劇場與人生似乎照映出的是同一副臉孔──我們自己如此熟悉又陌生的臉孔。只是當我們想從鏡像看清楚自己的模樣時，就又會在鏡中之鏡深邃無限的複像中失去焦距，迷失自己，就好像《半里長城》裡那群迷茫、自私、急於滿足眼前的情慾、利益，卻又看不清自己的劇中人。

（載自2007年4月屏風表演班《半里長城》輝煌版演出節目冊）

劇本閱讀說明

《半里長城》
劇本內容由以下幾個部分組成：

1、關於《半里長城》之戲中戲結構

《半里長城》敘述一個叫做風屏劇團的三流劇團，在巡演《萬里長城》的故事，故全劇有兩層的扮演關係。風屏劇團的人事糾紛和《萬》的故事兩者之間互有連結，角色關係互相呼應，戲裡戲外的事件猶如鏡子反射，故角色的名字就是演員名字的顛倒。而「戲中戲」的結構通常也被運用做為「後設劇場」（metadrama）的手法，所謂的「後設劇場」簡單的來說就是「藉由戲劇的形式，來討論戲劇本質」。

2、場次說明

說明各場次的情境、時間、場景、角色。

2.1 情境說明

風屏劇團在七月一日～七月七日進行《萬里長城》公演，本劇共以十四場戲呈現劇團在公演期間排練、正式演出《萬里長城》的情況。

例如S4：

> 情境：
> 七月二日，《萬》劇首演進行中，本場次摘演《萬》劇第三場〈始皇降世〉。

這就表示風屏劇團正於七月二日進行《萬里長城》首演，而台上的演出已進行到原《萬里長城》第三場的部分。

2.2 角色稱謂

本劇時常出現團員排練到一半吵架、或在正式演出中私事公演的情形。為區隔角色狀態，當團員演出《萬》劇時，便以《萬》劇角色名作為其稱謂；當團員跳脫出戲，便以該團員姓名為其稱謂。例如在S2，彩排〈異人返鄉〉時，場上演員原皆以《萬》劇人物稱之，但當導演李修國一上場打斷排練，眾人便馬上回復為風屏劇團團員姓名。另部分演員亦身兼劇團職務，故會以不同的身份出現在舞台上，而且因為劇團的突發狀況連連，一個演員可能在劇中飾演多個角色。例如，李修國是團長兼導演兼演員（原飾演嫪毒，後又飾演呂不韋）、侯明昌是道具管理兼演員（分飾王齕、材士、秦兵）等……。

3、舞台指示

3.1 以△或（ ）表示。舞台劇場技術性調度之指示，如投影字幕、燈亮／暗、燈光變化、中場休息、佈景升降等。

3.2 劇本中，描述場景空間之舞台左、右側，係以觀眾（或讀者）面對舞台之左、右方向為準。

4、演員戲劇動作與情緒指示

4.1 以△表示。場上演員主要戲劇動作之指示，例如上、下場、跑圓場、打旋子、抖竹簡等戲劇動作。

4.2 以（ ）表示，為演員於台詞進行中所表現的戲劇動作或演員表達角色情緒時的參考建議，例如（憤怒地）、（驚慌地）、（無奈地）。若指示中有「即興」二字，即表示這是因為演員忘詞或場上突發狀況，而臨時編造的台詞。

5、舞台技術

本劇多次於舞台前緣使用巨型白紗幕（長16公尺、高10公尺、面積約600吋），如大幕般遮蓋整個舞台鏡框，可於其上投影影像與文字。白紗幕透過舞台器械操控，可自由升降，當舞台上燈光亮起，白紗幕影像將呈現半透明狀態，觀眾可同時看見演員的戲劇動作與平面影像，呈現出疊影的視覺效果。

6、備註

以上劇本內容之註明與各項指示皆為方便讀者閱讀，若有表演團體或戲劇相關科系欲以《半里長城》為演出劇本，需取得演出同意權後，則可視排練情形，調整舞台上的戲劇動作或重新詮釋演員情緒。

版本說明

前言：

　　李國修劇作集中，共有13齣戲列為定目劇本。所謂「定目劇」的英文是「Repertory Theatre」，原意是指一個劇團的「招牌劇目」，隨時可以供人點戲，然後安排表演。但是在現代的意義上，「定目劇」卻多了一個製作層面的概念。它是指將具備普及性、永恆性、與高度被接受性的經典劇目，製作並進行定點的長期演出，或每隔一段時間，進行週期性的重製演出。然而在台灣，表演藝術團體屬於非營利組織，目前並未發展出類似百老匯「長期定點」的商業劇場規模，但仍會定期推出具有代表性「定目劇」，並進行巡迴展演。而這些「定目劇」不僅代表一個藝術團體的創作精神，也維持了劇團的生存與穩定發展。

　　每一定目劇作品初次發表演出皆定名為「首演版」，例如：1996年推出《京戲啟示錄》首演版。爾後因重製當時之時間、空間、與社會時事，針對部分劇情、劇場美學等稍作內容的調整，並增列該劇目的版本名稱做為分類。不同版本的故事，在情節與架構上並不會有大篇幅異動，版本主要是用來辨

別不同年份之演出記錄，例如：2000年推出《京戲啟示錄》經典版、2007年推出《京戲啟示錄》典藏版。

李國修定目劇作品如下：

《京戲啟示錄》、《女兒紅》、《莎姆雷特》、《半里長城》、《徵婚啟事》、《西出陽關》、《婚外信行為》、《三人行不行I》、《三人行不行Ⅲ—OH！三岔口》、《我妹妹》、《救國株式會社》、《北極之光》、《六義幫》，共計13本。

關於《半里長城》

首演版於1989年推出，1995推出全新版，2000年推出浪笑版、2007年推出輝煌版，2012年推出起笑版。因考量故事結構的嚴謹性與時宜性，故《半里長城》選定輝煌版為出版劇本。

劇情簡介

一個三流劇團・一齣戲中戲

　　風屏劇團隆重推出古裝大戲《萬里長城》，這是一齣氣勢磅礡的歷史宮廷大戲：

　　珠寶商人呂不韋偶然結識在趙國出質的秦國世子異人，決定作一樁政治生意，資助異人返秦登上大位。呂不韋與異人結為師徒，先以珍寶籠絡秦國華陽夫人，遊說華陽夫人立異人為嫡嗣，其後又將自己的侍妾趙玉子送給異人為妻。趙玉子腹中已有呂不韋骨肉，且又與呂不韋門客嫪毐有私情，也只好在不得已之下隱瞞身孕改嫁異人。在呂不韋的多方經營下，異人順利當上秦王，封呂不韋為文信侯，趙玉子生下一子，取名趙政，即日後的秦始皇。

　　趙政即位後，呂不韋仍與帝太后趙玉子私通，同時嫪毐也混入宮中服侍帝太后，受封為長信侯。秦王政發現了這兩椿醜聞，下令遷逐帝太后。嫪毐舉太后印璽興兵作亂，之後兵敗，慘遭車裂且滅族。而呂不韋隔年被流放巴蜀，飲鴆自盡。

43

秦王政最後統一天下，建立了空前絕後的帝國版圖，自命「始皇帝」，並修築了史上最大的城牆「萬里長城」欲鞏固萬世基業，然而秦始皇的霸業僅傳了兩代，十五年後隨即滅亡。

隔著遙遠的時空，劇中人用盡心機，玩弄著一場性、金錢、權力的交換遊戲。但在現實生活的風屏劇團裡，人性的複雜度卻一點兒也不比虛構煽情的戰國時代遜色：飾演華陽夫人的杜梅詩與飾演呂不韋的樊耀光戲裡戲外都有金錢糾葛；風流的副導演狄杰志與女演員黃小嫻、黃千嘉／顏樂樂 大談三角戀情；配角群邱峰逸、侯明昌／游順安 毫不敬業，只想著爭取更多露臉機會。這樣的組合，讓《萬里長城》從排練開始便危機重重。

三次爭吵不休的排練‧十段日漸荒唐的演出

不管是排練或公演，風屏劇團全是一片混亂，演員不但沒有增加默契，反而橫生更多的歧見與衝突。《萬里長城》的首演七零八落、錯誤百出，幸好演員們發揮即興功力，讓演出在有驚無險中度過。

首演的失誤沒有讓風屏劇團的成員們虛心檢討，反而相互責怪，形成一種排演與公演交錯影響的惡性循環，劇團內部的糾紛越演越烈，《萬》劇的公演也跟著荒誕變形。最後一場公演前，樊耀光再也無法忍受杜梅詩的排擠，從劇場出走；黃小嫻隨後也宣布辭演。李修國原與眾人議定由侯明昌／游順安

代黃小嫻演出、樊耀光的戲份則由李修國與狄杰志分攤。但演出到一半，樊耀光與黃小嫻竟良心不安，決定重返舞台演出。這下子，台上同時出現兩個宮女乙、三個呂不韋，又似乎過於擁擠了一些⋯⋯究竟，這齣荒腔走板的戲碼最終是否能順利演完呢⋯⋯？

場次結構表

場次	時空設定		李國修	樊光耀	黃嘉千 顏嘉樂	杜詩梅	侯昌明 游安順	狄志杰
場次	情境	《萬里長城》 摘演場次						
S1	七月一日晚間 彩排《萬》劇	第四場 〈秦軍攻趙〉					王齕	廉頗
S2		第五場 〈異人返鄉〉	李修國	呂不韋	趙玉子	華陽夫人	侯明昌／ 游順安	狄杰志
S3	七月二日晚間 《萬》劇首演	第二場 〈呂獻愛姬〉	嫪毐	呂不韋	趙玉子	春花	守關吏	
S4		第三場 〈始皇降世〉	嫪毐	呂不韋	趙玉子			（廉頗）
S5		第四場 〈秦軍攻趙〉					王齕	廉頗
S6	七月三日傍晚 彩排《萬》劇	第六場 〈嫪毐事件〉	李修國	樊耀光	黃千嘉／ 顏樂樂	杜梅詩	侯明昌／ 游順安	狄杰志
S7	七月三日晚間 《萬》劇公演	第六場 〈嫪毐事件〉	嫪毐	呂相國	帝太后 趙玉子		材士乙	昌平君
中　　　　　　　　　　場								
S8		序場 〈戰國七雄〉						
S9		第一場 〈華陽夫人〉	嫪毐	呂不韋		華陽夫人		（狄杰志
S10	七月六日晚間 《萬》劇公演	後 台 第五場 〈異人返鄉〉B	李修國	呂不韋	趙玉子	華陽夫人	侯明昌／ 游順安	狄杰志
S11		第七場 〈飲鴆自盡〉						呂相國
S12		尾聲 〈萬里長城〉			秦兵		秦兵	
S13		謝幕後	李修國		黃千嘉／ 顏樂樂	杜梅詩	侯明昌／ 游順安	狄杰志
S14	七月七日晚間 《萬》劇 最後一場公演	第五場 〈異人返鄉〉	呂不韋	呂不韋	趙玉子	華陽夫人	宮女乙	呂相國

演員										
朱德剛	小嫻	劉珊珊	邱逸峰	圓圓	謝忻	黃浩詠	許栢昂	蔡順傑	林伯羽	李日煒
角色										
秦軍甲				趙軍丁	秦軍乙	趙軍丙	趙軍甲	秦軍丙	秦軍丁	趙軍乙
詹事	宮女乙	宮女甲	異人	宮女丁	宮女丙	校衛	衛率甲	衛率乙	衛率丙	衛率丁
	秋月	葉子	異人				許昂栢		林羽伯	
	奶娘	葉子	異人							
秦軍甲				趙軍丁	秦軍乙	趙軍丙	趙軍甲	秦軍丙	秦軍丁	趙軍乙
朱剛德	黃小嫻	劉又珊	邱峰逸	陳又圓	謝小忻					
材士甲	宮女乙	宮女甲	宦官戎瞿君公	宮女丁	宮女丙	校衛	叛軍甲	叛軍乙	材士丙	材士丁
休　　息										
	韓			楚	燕	趙	秦	齊	秦	魏
陽泉君	宮女乙			宮女丁	宮女丙		衛率甲	衛率乙		
詹事	宮女乙	宮女甲	異人	宮女丁	宮女丙	校衛	衛率甲	衛率乙	衛率丙	衛率丁
秦始皇							秦兵	秦兵	秦兵	秦兵
秦始皇	秦兵	秦兵	秦兵	秦兵	秦兵	秦兵	秦兵	秦兵	秦兵	秦兵
朱剛德	黃小嫻	劉又珊	邱峰逸	陳又圓	謝小忻	黃詠浩	許昂栢	蔡傑順	林羽伯	李煒日
詹事	宮女乙	宮女甲	異人	宮女丁	宮女丙	校衛	衛率甲	衛率乙	衛率丙	衛率丁

※為配合本劇於各地巡演檔期之故，部分角色由兩名演員分飾一角。
本書是以黃嘉千、侯昌明的演出版本為出版版本。

S1

〈秦軍攻趙〉A

情境：

七月一日，《萬里長城》首演前一天，風屏劇團正在進行彩排，排演段落為原《萬》劇第四場〈秦軍攻趙〉。

場景：

戰場。（背景是綿延的萬里長城，舞台右側置一等身高度、有階梯可供上下的堡壘高台。）

角色：

趙將廉頗（狄杰志飾）、四趙軍（許昂栢、李煒日、黃詠浩、陳又圓飾）、秦將王齕（侯明昌飾）、四秦軍（朱剛德、蔡傑順、謝小忻、林羽伯飾）。

△　本場次借用京劇程式動作來呈現戰爭場面。

△　開場音樂。

△　戰鼓聲漸起。

△　大幕啟。

△　白紗幕上投影字幕：
「第肆場　秦軍攻趙」

男聲：（OS）西元前兩百五十七年，秦昭王五十年，秦國再度發兵攻打趙國，兩國之間無意談和，弱小的趙國，勵精圖治，派密使攜帶重金聯絡各國，彼此同心，聯合抗秦！

△　燈亮。

△　白紗幕升。

△　趙將廉頗持上書「趙」字之綠旗，跑圓場上。

廉頗：（以京劇韻白說話，以下皆同）眾將官！

△　四趙軍在台後應聲「有！」，隨即，趙軍甲持報子旗，趙軍乙、丙、丁持花槍，跑圓場上。趙軍甲高踞堡壘眺望。

廉頗：黃昏時刻、戰備警戒！

四趙軍：啊！

△　趙軍甲自堡壘上後空翻下，趙軍五人跑圓場，在舞台右側一角排開陣形。廉頗站在堡壘上，四名趙軍在下。

△　稍頃，秦將王齕持上有「秦」字之紅旗，上。

王齕：（操閩南國語口音，以下皆同）眾將官[1]！

△　四秦軍在台後應聲「有！」，隨即，秦軍甲持報子旗，秦軍乙、丙、丁持花槍，跑圓場上。秦軍五人在舞台左側一角排開陣形，王齕居中，四名秦軍在後。

四趙軍：有！

王齕：活拿趙將廉頗，大王封萬戶侯，本將軍重賞，賞千金萬兩。通令全軍！

四秦軍：啊！

△　趙軍甲，打旋子跑圓場，飛身數匝趨前打探狀，回到廉頗跟前稟報。

趙軍甲：（單膝跪地）報！

廉頗：說話！

趙軍甲：楚國春申君，率領十萬大軍，南來救趙啊！（拉起京劇韻白）

廉頗：（因應趙軍甲也拉起誇張的京劇韻白，但破音）大喜！再探！

趙軍甲：啊！

△　趙軍甲回到陣中。秦軍甲呀呀大叫上前打探一陣，回到王齕跟前稟報。

秦軍甲：（單膝跪地）報！

1　飾演王齕的侯明昌說話原帶閩南口音，故在本劇中其所飾演的任何一個角色說話皆有閩南國語腔，以下皆同。

王齕：快說！

秦軍甲：鄭安平大將軍率兩萬騎兵在趙軍中寨，陣前投降！

呀啊啊（學趙軍甲，笨拙地拉嗓子打旋子，吼完本欲來個

後翻，但手中報子旗卻失手掉落）

王齕：（尷尬）哎呀！不好！待我王齕親自披掛上陣。（戰

鼓聲大作）廉頗！明年的今天就是你的忌日！眾將

官！兩軍交戰，直取邯鄲！

四秦軍：啊！

廉頗：眾將官！

四趙軍：有！

廉頗：箭在弦、刀出鞘，殺他個片甲不留！

△　戰鼓聲響，兩將、八兵齊聲開打。

△　戰鼓停，眾人靜止不動，四秦軍皆敗陣倒地。

王齕：唉呦！不好！走為上策！

△　王齕敗陣，下。

廉頗：眾將官！

四趙軍：有！

秦軍甲：（太過緊張，竟不小心跟著應聲，使場面顯得十分突兀）啊！

廉頗：王齕棄甲逃亡，我軍大勝、班師回朝！

四趙軍：啊！

△　秦軍甲起身，分心張望著後台，再度答錯腔。

秦軍甲：有！

　　△　眾人瞪秦軍甲。

　　△　燈光暗。

　　△　轉場鑼鼓聲大作。

　　△　白紗幕降。

S2

〈異人返鄉〉A

情境：

七月一日，風屏劇團進行《萬》劇彩排，排演已進行到《萬》劇第
五場〈異人返鄉〉。

場景：

興安宮（皇太子安國君府後宮）。（舞台上置一金碧輝煌的巨大宮
門，左右有紅漆大柱。宮門的前、左、右三方皆有階梯可供演員上
下。）

角色：

呂不韋（樊耀光飾）、宮女甲、乙、丙、丁（劉佑珊、黃小嫻、謝小忻、陳又圓飾）、異人（邱峰逸飾）、華陽夫人[2]（杜梅詩飾）、詹事[3]（朱剛德飾）、校尉[4]（黃詠浩飾）、衛率[5]甲、乙、丙、丁（許昂栢、蔡傑順、林羽伯、李煒日飾）、趙玉子（黃千嘉飾）、李修國、狄杰志、侯明昌。

2　秦國皇太子安國君之妃，並非異人生母。
3　官職名，主管皇后及太子居處之事。
4　軍職名，統領衛兵的中級軍官。
5　軍職名，守護太子東宮的衛兵。

△　白紗幕上投影字幕：

「第伍場　異人返鄉」

男聲：（OS）西元前兩百五十七年，秦昭王五十年，投機

商人呂不韋，終於帶著他投資的政治工具——異

人，他們回到了異人公子朝思暮想的興安宮。

△　燈亮。

△　呂不韋獨自一人步入興安宮，四處張望。

△　呂正欲離去，宮女甲、乙自內室，上。

宮女乙：什麼人？竟敢私闖皇太子後宮？

呂不韋：在下呂不韋，絕非敗類，有要事稟報，盼望立刻求

見華陽夫人。

宮女乙：呂不韋君且稍候，待奴婢回稟夫人去——

宮女甲：巧然！萬萬不可！此人……絕非善類，冒然請夫

人前來，若有差錯，妳、我可是擔待不起！

呂不韋：二位！是異人公子求見華陽夫人，若有延誤，你

們可是吃罪不輕！（對外呼喊異人）異人君……異人

君……

△　呂不韋，下。

△　白紗幕升。

宮女甲：快回稟夫人去！

宮女乙：是！

△　宮女乙，下。

△　稍頃，異人自外，上。

異人：師傅⋯⋯師傅⋯⋯

△　宮女乙，再上。

宮女乙：什麼人？竟敢私闖皇太子後宮？

異人：吾乃秦國在趙國抵押為人質的異人，求見我娘華陽夫人！

宮女甲：（大喜過望）果真是異人公子？

異人：正是！

宮女甲：您且稍候，巧然！快請夫人去！

△　宮女乙應聲，下。呂不韋自外上。

呂不韋：（找異人）異人君⋯⋯異人君⋯⋯（見到異人，兩人高興地相互打躬作揖）哈！恭喜異人君，賀喜異人君，出質於趙多年，今日回秦，終得一見華陽夫人，真是可喜可賀！

異人：多謝師傅！

△　宮女乙，上。

宮女乙：有請夫人——

△　夫人出場音樂。

△　宮女丙、丁上，眾人躬身等待華陽夫人。

△　音樂聲中，華陽夫人遲遲未出現，眾人開始朝後台張望。

△　穿著王齕戲服的侯明昌拿著幼童假偶跑上台，經過黃小嫻後方時偷吃她豆腐。

黃小嫻：（嚇得尖叫）啊！

△　侯明昌亦嚇了一跳，又冒冒失失跑下。

△　場上等不到華陽夫人，劉佑珊只好代扮夫人繼續進行排練。

劉佑珊：是……巧然！妳來看！可認得這個人是誰？

△　眾人欲接戲，李修國穿著水衣⁶上，打斷排練。

李修國：你們在幹什麼？現在在彩排！華陽夫人為什麼不上來？

劉佑珊：我去叫她——

李修國：（下意識）妳不要管！

劉佑珊：（強勢地）你跟我兇什麼？

李修國：（撒嬌地）沒有……老婆……（劉佑珊賭氣，李修國無暇應付）副導演！麻煩你出來盯場好不好？

△　校衛與衛率甲、乙、丙、丁也跟上台湊熱鬧。眾人閒散聊天，校衛幫邱峰逸擦汗。

△　狄杰志穿著廉頗戲服，手拿掃把上，黃小嫻隨即迎上前去纏著狄杰志。

狄杰志：誰又誤場了？

6　傳統戲曲演員穿在戲服內的白色底衣。

李修國：華陽夫人為什麼不出場呢？

狄杰志：演員應該自己盯場嘛！

樊耀光：修國，我出去透一口氣！

李修國：耀光，第五場〈異人返鄉〉才剛開始彩排，你出去透什麼氣阿？！

樊耀光：我們這場從來就沒有好好排過一次，尤其上一場〈秦軍攻趙〉，你看那是什麼戲？整個舞台上亂七八糟。

狄杰志：（覺得樊耀光在針對自己，不滿地澄清）……耀光！我從來不亂搞，在台上誰出的錯，大家看得很清楚！你知不知道我後台有多少事情要處理？

△　李修國去安撫劉佑珊。

黃小嫻：（對杰志說）你在後台跟誰講話？

狄杰志：都解決了！都解決了！妳要相信我嘛！

黃小嫻：你要慎重地跟我道歉！

李修國：（正好與劉佑珊吵得不可開交，對劉佑珊吼）我道什麼歉！（結束與劉佑珊的戰局，走向狄杰志，狄杰志正嘻皮笑臉哄著黃小嫻。李修國不耐煩地對狄、黃二人說）副導演，我知道你很愛她，她也很關心你──拜託你們現在不要談戀愛好不好！？

樊耀光： 對不起，我們可不可以繼續彩排這一場？這一場
〈異人返鄉〉很重要嘛！我們從來沒有好好排過一
遍！

　△　　侯明昌拿著玉璽自另一角跑過舞台。黃小嫻欲轉身離
　　　　去，又被他嚇了一跳。狄杰志不悅地叫住侯明昌。

狄杰志： 跑什麼？你是哪個劇團的？

　△　　侯明昌傻笑不答，下。黃小嫻，下。

　△　　朱剛德穿著秦軍戲服拿著報子旗，扶著飾演華陽夫人
　　　　的杜梅詩上台，兩人兀自爭吵不休。

朱剛德：（不由分說地將杜梅詩推出來）華陽夫人到！

狄杰志： 阿剛⁷！這場你演詹事，還沒有上場，趕快去換衣
服。

朱剛德： 不是！我老婆心情不好，是不是排戲可以暫停一
下……（劉佑珊上前安慰杜梅詩）

李修國： 誰說暫停的？！沒有時間了。〈異人返鄉〉從來沒
有好好彩排過！副導演你盯一下嘛！

　△　　狄杰志連聲答應，李修國匆匆下台。

狄杰志：（對場上眾人吼）不相干的人給我下去！

　△　　校衛、四衛率、朱剛德下。杜梅詩見狀也要跟著下
　　　　台，狄杰志連忙阻止。

7　朱剛德的綽號。

狄杰志： 華陽夫人妳不用下去，直接走上來，（代唸宮女乙台詞）有請夫人！音效！

△ 狄杰志，下。眾人就定位。

△ 華陽夫人出場音樂揚起。

華陽夫人： 是……巧然！（不見巧然，宮女甲示意要代演，遂轉對宮女甲說）妳來看，可認得這個人是誰？

△ 狄杰志推黃小嫻，上。

狄杰志： 先上台！拜託妳先上台！

黃小嫻：（堅持）你要跟我道歉！

△ 場面僵持無法排練，眾人都在等狄杰志道歉。

樊耀光：（忍不住催狄杰志）你快道歉啊！

狄杰志：（以撒嬌口氣）Sorry ！

△ 黃小嫻開始扮演宮女乙，她趨前看看異人，又回到夫人跟前稟報。

△ 狄杰志在旁盯場，稍頃，下。

宮女乙：（敷衍了事）啟稟夫人……不認識。

華陽夫人：（步下宮門台階，走向異人）是我兒異人嗎？

異人： 娘……（呂不韋推異人跪下）娘！異人叩見娘親，異人不孝，請娘親恕罪！

華陽夫人： 快快起身！（異人起身，華陽夫人拉著他仔細端詳）讓為娘的好好看看你！兒啊！你在趙這麼多年，真是

苦了你了！

異人：多虧師傅呂不韋君的照顧……（與呂四目相交，呂示意
異人下跪裝哭，博取同情，異人再度下跪痛哭）娘……

華陽夫人：……不韋君！

呂不韋：草民呂不韋，叩見夫人！（下跪）

華陽夫人：不韋君！為何於今日，攜異人前來見我？

樊耀光：（頓了一下，跳出戲外，對飾演華陽夫人的杜梅詩抱怨）妳跳
了三句台詞，我這樣沒辦法接？

杜梅詩：（不理樊，只對異人說）不要理他，你講話——

異人：（仍跪在地上，接戲）娘，孩兒差點死在趙王的手
裡……娘……

華陽夫人：（回戲）兒啊！真是苦了你了……不韋君——

樊耀光：（再度糾正杜梅詩）妳應該要讓我起身說話，然後問我
「究竟怎麼回事，不韋君？」（邊說邊站起身）

杜梅詩：（忍不住爆發，對著飾演呂不韋的樊耀光）你坑了我老公，
你到底什麼時候還錢？

　△　眾人尷尬，沉默。

劉佑珊：（制止地）梅詩！

杜梅詩：（咄咄逼人）你說！

　△　樊耀光百口莫辯。邱峰逸跪在一旁，無奈地摘下帽子
搧風。

劉佑珊：現在不要提這個！

杜梅詩：（仍不放過樊）你說一句話——

劉佑珊：好了！

樊耀光：（向劉佑珊抗辯）劉佑珊，她……

劉佑珊：繼續好不好？先繼續！

呂不韋：（拗不過劉佑珊，用賭氣地一口氣唸完台詞）實因秦昭王派王齕大將軍率領六十萬大軍發兵攻趙都城邯鄲兩軍在邯鄲城外三十里地安寨紮營貴國王齕大將軍與趙國廉頗老將軍展開數回猛烈攻擊趙王在邯鄲城內下令廷尉公孫侯執意要殺貴國質子異人公子——該你了！

異　人：（趕緊接戲，維持跪姿）娘！是師父呂不韋君拿出黃金六百斤……（突然心血來潮，也用貫口）娘是師父呂不韋君拿出黃金六百斤收買了邯鄲東門守關吏孩兒才得以和師傅逃至秦軍營倖免一死娘——該妳了！

△　見樊耀光、邱峰逸硬講台詞，杜梅詩只得被迫繼續演下去。

華陽夫人：……不韋君！

呂不韋：草民在！

華陽夫人： 我見你如此忠心義魄，拼一死保駕皇太孫，無以為報，區區一塊玉珮（摸腰間發現忘記帶玉珮，只得空做拿著玉珮的樣子）請你笑納！

呂不韋： 既是夫人抬愛，草民恭敬不如從命！（至夫人前跪下）

華陽夫人： 來！待我親手為你配上——

　△　李修國已換上嫪毐的戲服，自後台上，打斷排練。

李修國： 停停停——妳手上沒有玉珮還演得跟真的一樣！

杜梅詩： （大聲抗辯）道具又不是我管的？

　△　演出再度中斷，劉佑珊忙上前調停。宮女乙在一旁納涼。宮女丙、丁，下。

邱峰逸： （拉著李修國不停抱怨）團長！他們倆個有心結，剛才台詞一陣亂跳，你叫人家怎麼接啊……

　△　李修國應付不過來，轉頭找狄杰志。

李修國： 副導演……

　△　狄杰志，上。

樊耀光： 修國！我現在就要出去透透氣！

　△　樊耀光不等李修國反應，逕自朝外走去，下。

　△　杜梅詩不放過樊耀光，一路在旁謾罵，劉佑珊趕忙跟在旁邊勸解。杜、劉走到舞台一角談話。

李修國： 樊耀光！樊耀光！……（喚狄杰志）副導演，麻煩你盯一下道具好不好！？

狄杰志：（不以為然）道具應該演員自己帶上台！

李修國：你要把玉珮交給夫人，夫人要別在腰上！

狄杰志：（仍在抬槓）這是最基本的職業道德！

李修國：（不想再浪費時間）好！我自己去找好不好！

△　李修國匆匆下。

△　舞台兩邊，狄杰志對其他人發脾氣、劉佑珊勸杜梅詩，兩方戲劇動作交錯進行。

劉佑珊：（勸杜梅詩）耀光他最近怪怪的，妳不要再刺激他！

狄杰志：（對場上眾人發脾氣）我可不可以知道，這個劇團到底是誰在管小道具？

杜梅詩：（忿忿地回答劉佑珊）我不給他難堪，他讓我難過！

△　杜梅詩下。劉佑珊追，亦下。

△　邱峰逸走向狄杰志。

邱峰逸：（油條地回答）是阿昌[8]！

狄杰志：哪個阿昌？

邱峰逸：我表哥（向後台呼喚侯明昌）阿昌！阿昌！

△　邱峰逸喊著侯明昌，下。朱剛德端一碗泡麵，上。

狄杰志：（吼）阿剛！現在是什麼時候？你吃什麼泡麵？

朱剛德：（不悅地）你女朋友要吃的——

黃小嫻：（上前接麵，對狄杰志嬌嗔）我只吃兩口——

8　侯明昌的綽號。

狄杰志：（態度馬上軟化）小心燙喔！（幫忙把麵吹涼）

 △ 邱峰逸、校衛、宮女丙、丁、衛率甲、乙、丙、丁，
   陸續自舞台兩邊走上。眾人分散在場上交談、湊熱鬧。

 △ 侯明昌拿著包袱、玉珮，匆忙跑上。

侯明昌：副導演！這塊玉珮交給夫人嗎？

狄杰志：（接過玉珮）對！交給夫人！夫人送給呂不韋！到
   了第六場〈嫪毒事件〉（劇團中人皆將嫪毒的發音
   「ㄌㄠˋ」「ㄞˇ」誤念為「ㄇㄧㄡˋ」「ㄉㄨˊ」，以下同）
   呂相國一直別在腰上……（狄杰志叨唸著情節，侯明
   昌話沒聽完又要跑開，狄杰志不悅地叫住他）你叫阿昌是
   不是？──你演那個王齕大將軍──

侯明昌：（以為狄杰志要稱讚他，得意地擺出王齕的亮相姿勢）很好
   喔？

狄杰志：很爛！你一點架勢都沒有，太萎縮了……你好好
   把腔調練一下！

侯明昌：什麼腔調？

狄杰志：每一個人講話都有自己的腔調，你演那個古代大
   將軍就應該要有自己的腔調──像我演那個廉頗
   啊，我念那個（用掃把代替大旗示範身段架勢，強調京
   劇韻白）「眾將官」……

侯明昌：（不解）啊！？

狄杰志：再看一次喔！（重新示範一次）「眾將官」！

侯明昌：（仍不解）……你演兩次不都一樣嗎！我只是來幫忙的！

狄杰志：我也只是來幫忙的！我生平第一次演舞台劇，《萬里長城》從頭到尾我只有兩場戲，劇本從頭到底我倒背如流，每一個角色我都會演！請問我有「幫忙」的心態嗎？幫忙就是交差，交差就是不負責任！請問良心何在？道德何在？

　△　李修國自一角，上。

李修國：大家注意注意！（眾人聞言，場上一片寂靜）休息一下，休息一下……

　△　眾人聞言又開始聊天，朱剛德接過黃小嫻的剩麵吃了起來。

　△　樊耀光上，他衣襟凌亂，冠帽反戴，拎著布鞋走過舞台。李修國叫住他。

李修國：耀光，你沒問題吧？

樊耀光：（心不在焉）我沒有問題，我很好！

李修國：你好什麼？你要搞清楚，你演的是呂不韋，你不是演濟公！

樊耀光：（逃避話題）現在不要管嘛，你到底要不要繼續彩排？

李修國：當然要彩排⋯⋯（回頭看見場上團員在聊天，忘記是自己下令休息，怒吼）誰叫你們休息？！（狄杰志趕緊幫腔吼「誰叫你們休息！？」）我們彩排好不好？拜託沒有時間了，繼續彩排〈異人返鄉〉好不好！（狄杰志幫腔吼「繼續彩排〈異人返鄉〉！」）阿剛誰叫你吃泡麵？

狄杰志：（吼眾人，聽到此言反射性轉頭大吼）我女朋友要吃的！

李修國：（諷刺地學狄杰志的語氣）小心燙哦！

狄杰志：（發現是團長，道歉）團長，Sorry！

李修國：（沒好氣）麻煩你控制一下！沒有時間了！

　　△　　李修國，下。狄杰志催眾人就緒，場上只剩下華陽夫人、宮女甲、宮女乙、呂不韋、異人。眾人重新就定位。

狄杰志：（將玉珮交給華陽夫人）夫人、夫人，麻煩妳以後自己記得帶上場。

　　△　　狄杰志，下。

樊耀光：從哪裡開始？——是不是有請夫人？⋯⋯從呂不韋叩見夫人⋯⋯還是⋯⋯

華陽夫人：（喝叱樊耀光）從你跪下開始！（樊耀光跪，杜梅詩不讓樊說話，自行說完樊的詞）謝夫人恩寵，草民愧受了。（草率地將玉珮丟給樊耀光）玉珮已經在你手上，（回戲）快快起身，不必多禮⋯⋯巧然！

△　宮女乙發呆，宮女甲拉她回神。宮女乙一時反應不過來，宮女甲只好代她說台詞。

宮女甲：（代說台詞）奴婢在！

華陽夫人：妳喚人去東廂打點，異人今後就住在那兒了。

宮女甲：（代說台詞）是！

宮女乙：（終於回神，接話）是！

△　宮女乙，下。

呂不韋：草民心願已了，不韋告退——

異人：師傅！師傅請留步——今晚您一個人回邯鄲，未免孤單，不如就在宮中留下吧！

△　一角，狄杰志推飾演詹事的朱剛德上台。

狄杰志：拜託你進入狀況好不好？每次都這樣！該你上場，講話！

△　朱剛德作勢要回後台吃泡麵，狄杰志不由分說地推他向前。

詹事：啟稟夫人——宮外有一名婦人，懷抱一乳兒，求見夫人！

華陽夫人：快快有請。

詹事：是！夫人！

△　詹事下。

呂不韋：哈哈哈……今日不但是夫人與異人母子相聚，異

人與愛妻更是……（趙玉子登場音樂突然響起，打斷了樊耀光的台詞。樊耀光不滿地抱怨）…… 我話還沒講完，音樂放太早了嘛……

　△　樊耀光邊罵後台，卻不慎踩到狄杰志的掃把差點滑倒，杜梅詩幸災樂禍。

　△　樊耀光欲追究，狄杰志含混以對，指揮眾人繼續排戲。

狄杰志：（避著樊耀光，指揮校衛、衛率等上場）……你小心一點，來，後面上來了！

樊耀光：……我話還沒講完！他們不能上來！這樣怎麼排戲？

劉佑珊：先繼續排啦！先繼續排！

　△　開路的校衛、衛率甲、乙、丙、丁，上。各立一角。

　△　趙玉子懷抱著一幼童假偶，上。

異人：愛妻！快來叩見我娘，仔仔我來抱！（接幼童假偶，慈愛地撫抱）

趙玉子：異人妻，趙玉子叩見——娘！

華陽夫人：好好好，不必多禮……來，我抱抱（向異人接過幼童假偶），這孩子叫什麼？

趙玉子：回娘的話——

　△　宮女乙，上，故意打斷趙玉子。

宮女乙：啟稟夫人——

△　趙玉子與宮女乙兩人比拼音量，故意要打斷對方的台詞。

趙玉子：　　　──回娘的話，因仔仔生於趙國邯鄲，

所以姓趙！

（同時）

宮女乙：　　　──東廂已派人收拾妥當！

△　趙玉子與宮女乙對峙，狄杰志上前，無法收拾眼前僵局。

華陽夫人：（只得乾笑）哈……趙什麼？

趙玉子：（得意地接戲）單名一個政，政治的政。

△　宮女乙悻悻然地離去。

異人：娘！仔仔叫趙政。

狄杰志：（從旁指示音效）來！音效！

△　秦始皇音樂響起，狄杰志滿意地數著節拍點，假裝沒
　　察覺樊耀光的怒氣，若無其事地示意樊耀光繼續排練。

△　詹事暗上，背台。

華陽夫人：詹事！

△　詹事在一旁發呆。

華陽夫人：詹事！

狄杰志：阿剛！你在這邊發什麼呆？上台！

詹事：（慌張上前）臣在！

華陽夫人：明日在東宮午膳，傳太卜令⁹給這乳兒卜上一卦！

9　官職名，六卿之一，掌卜筮之法，負責占卜國勢吉凶、國家祭祀等事宜。

詹事：臣尊旨。

　　△　詹事說完又要下台，樊耀光趕緊阻止他。

樊耀光：這個地方你不用下去。

詹事：（機械性重複）臣尊旨。

樊耀光：你說過了！

詹事：（機械性重複）我說過了！

華陽夫人：小趙政是哪一年生的？

趙玉子：娘，他生於頭二年，秦昭王四十八年——

華陽夫人：他是什麼時辰生的？

　　△　黃千嘉忘詞。

狄杰志：妳怎麼不說話？妳說完他生於什麼時辰，這場戲就
　　　　結束了！

趙玉子：（苦思，強自振作）娘——

　　△　趙玉子正要說，被快步上台的李修國打斷。

李修國：（已換上嫪毒戲服）準備排第六場〈嫪毒事件〉，大家
　　　　準備一下。

狄杰志：（提醒李修國戲還沒排完）團長，還有一句。

李修國：（聞言，吩咐杜梅詩與黃千嘉）喔！華陽夫人妳接講一
　　　　句。千嘉！妳接最後一句台詞。然後就燈暗結
　　　　束，第六場〈嫪毒事件〉。副導演你控制一下啊！

　　△　狄杰志應聲，示意演員繼續排完。眾人回戲。

華陽夫人：（他是什麼時辰生的啊？

△ 黃千嘉想不起來。

狄杰志：（代演趙玉子）「娘！他生於庚寅年正月初七酉時」，

（數落黃千嘉）這麼簡單的一句台詞妳都記不住——

黃千嘉：（壓抑對狄杰志的不滿）你不要講話！

狄杰志：不是，我是為妳好——妳這樣怎麼演戲？

黃千嘉：（輕蔑地）你沒有資格跟我講話！

狄杰志：妳幹什麼？

△ 黃千嘉怒瞪狄杰志，狄杰志心虛起來。

黃千嘉：（恨恨地）感情騙子！

△ 黃千嘉撩起古裝裙擺，露出繡花鞋裡穿著的運動襪，
飛奔下台。

△ 眾人愣住，李修國想叫大家繼續排戲，但見宮女乙跟
副導演皆面色不善，使他在台上不知所措。

李修國：（吩咐華陽夫人）……華陽夫人講話——

杜梅詩：（憤怒地）講給誰聽？人都跑了，講什麼講！

△ 杜梅詩隨手拖著幼童假偶，下。

李修國：（草草了事）這場戲算排完了，準備第六場〈嫦毒事
件〉——

△ 狄杰志幫忙吆喝著準備下一場，眾人散去。

樊耀光：（抱怨地）……這場戲從來都沒好好排過……

朱剛德：（風涼話）……我就知道每次都這個樣子！

　　△　眾人下。場上只剩樊耀光、李修國、黃小嫻、狄杰志。

樊耀光：（激動呼籲）各位！《萬里長城》明天首演，我們這樣怎麼演？我們一定要突破難關！各位！

李修國：樊耀光，你沒問題吧？

樊耀光：……我沒問題呀！？（嘗試冷靜）大家加油、加油……

　　△　樊耀光自顧自加油，下。

狄杰志：團長，我們要不要乾脆取消演出？

李修國：開什麼玩笑？票都賣了！

　　△　李修國轉身見到忿忿不平的黃小嫻，決定逃離現場，下。

　　△　黃小嫻瞪狄杰志，狄杰志試圖辯解。

黃小嫻：……你還在騙我！

　　△　黃小嫻猛打狄杰志一巴掌，下。留下狄杰志自己在場上。

　　△　燈光暗。

S3

〈呂獻愛姬〉

情境：

《萬》劇在七月二日的首演，本場次摘演《萬》劇第二場〈呂獻愛姬〉。

場景：

呂府大廳（呂不韋在趙國都城邯鄲的住處）。（場上斜置兩根大柱，上有寶帳高掛，但開場時，左側的大柱放錯位置，偏移到寶帳後方，導致廊下無柱。兩柱中間置一屏風、一立燈，屏風上繪銅錢刀幣圖樣。）

角色：

嫪毐（李修國飾）、趙玉子（黃千嘉飾）、呂不韋（樊耀光飾）、許昂栢（兼飾置景人）、林羽伯（兼飾置景人）、葉子（劉佑珊飾）、守關吏（侯明昌飾）、春花（杜梅詩飾）、秋月（黃小嫻飾）、異人（邱峰逸飾）。

△　白紗幕降，依序投影下列影像：

「七月二日（首演日）」

「風屏劇團　演出」

「萬里長城」

楔子〈戰國七雄〉的動態演出片段，其上標記該場次名稱（以下皆同）[10]。

第一場〈華陽夫人〉的動態演出片段。

「第貳場　呂獻愛姬」

男聲：（OS）西元前兩百六十年，秦昭王四十七年，時局多變，戰事連年。始終渴望踏上政治舞台的商人呂不韋，順水推舟將已經身懷六甲的趙玉子獻給了異人公子。

△　燈漸亮。

△　嫪毐自外，上。稍頃，趙玉子手拿包袱，自內上。

嫪毐：玉子！

趙玉子：嫪毐，你帶我走。你快帶我走！

嫪毐：我憑什麼？無財、無勢、無功名，我帶妳往哪兒走？……在這七雄爭霸，戰事連年的歲月裡，我到哪兒都養不活妳——

趙玉子：嫪毐！為什麼你不早一點出現？雖然我們只認識了短短的七天……為什麼？玉子感覺我們已經度過

10　在本劇中以播放演出片段來表示，《萬里長城》已經演完的場次。

了好幾個世紀？

嫪毐：夠了，七天……七天就能發生許多令人料想不到
的事情——

△　後台傳來呂不韋與葉子的調笑聲，燈光暗。

△　白紗幕上投影字幕：
「首演不久之後　意外不斷發生」

△　穿著衛率戲服的許昂栢、林羽伯上場將大柱推到正確
定位[11]。

△　燈光亮。

△　許昂栢、林羽伯居然還沒下台，留在場上不知所措。
嫪毐轉身見到許、林二人，驚嚇。

趙玉子：（沒見到背後的許、林，繼續演戲）玉子對嫪毐的深情摯
愛永生永世不變！我們一起走，遠遠離開那唯利
是圖、陰險投機的呂不韋——

嫪毐：（怒斥許、林二人）下去！

趙玉子：（不明就裡被嫪毐打斷）下去？

△　趙玉子轉身看到許昂栢、林羽伯，驚訝又尷尬。

許昂栢：

（閩南語，同時）歹勢啦！歹勢啦！

林羽伯：

△　許昂栢、林羽伯，下。

11　許昂栢、林羽伯本場無戲，負責幫忙換景，但身上仍穿著前一場演出的
　　衛率戲服。

呂不韋：（OS）葉子！葉子！……

　△　趙玉子與嫪毐聽到呂不韋的聲音從外傳來，雙雙躲在屏風後。

　△　葉子、呂不韋，上。

呂不韋：葉子！妳這是幹什麼！

葉子：老爺！一不做，二不休，乾脆今天就把趙玉子獻給異人！

　△　白紗幕升。

呂不韋：（躊躇）趙玉子懷有身孕，再說她肚子裡的孩子，終究是我的親骨肉——

葉子：（嬌嗔）您竟然在乎一名毫無姿色才藝的賤女人趙玉子！？

　△　趙玉子聞言欲衝出屏風理論，被嫪毐拉住。

呂不韋：（溫言勸解）葉子！瞧妳打翻一罈醋？！成天害怕失寵於我？

葉子：（投入呂不韋懷抱撒嬌）自古以來，女人就怕失寵。老爺要是執意不肯答應葉子請求！葉子這就往後花園去——

呂不韋：（急）葉子，可別做什麼傻事啊？

葉子：（駁斥）我一點也不傻！……葉子只想——

呂不韋：妳想幹嘛？

葉子：投井自盡！

呂不韋：（驚急）葉子——萬萬不可！

   △   葉子見呂不韋著急，噗嗤一笑。呂不韋放心，與葉子
        追逐嬉戲，下。

   △   後台傳出樊耀光撞到狄杰志而摔跤的碰撞聲。

   △   嫪毐與趙玉子，自屏風後出。

嫪毐：（口吃）不、不、不韋君究竟居心何在？

趙玉子：（拉著嫪毐）嫪毐！我們快走！

   △   守關吏與春花、秋月，自外，上。

守關吏：請問呂大善人在嘛！？

   △   呂不韋跛著右腳上場。

呂不韋：（忍痛應聲）在！……

嫪毐：不韋君，究竟是怎麼一回事？

呂不韋：（意有所指）沒什麼事！我被一個狗東西絆了一跤！

趙玉子：老爺。（將手上的包袱交給呂）

呂不韋：嫪毐君，我來幫你介紹一下，這位就是東門守關吏
        許開文，他已經答應將他膝下一雙女兒賣給我呂
        不韋為奴婢了。

守關吏：誰叫這兩年鬧大水災，連下官在朝廷當差的都吃不
        飽，要不然下官怎麼肯賣兒賣女？

   △   守關吏原應按劇情喚過一雙女兒疼惜，此刻卻獨獨緊
        拉秋月的手，對她毛手毛腳。

春花：　　　　（哭泣）爹——

　　　　（同時）

秋月：　　　　（抗拒守關吏亂摸，近乎尖叫）爹！

呂不韋：年月不好怨得了誰呢？（呂不韋邊說，守關吏在旁不斷亂摸，秋月不斷喊爹）這年頭君不君、臣不臣！（秋月受不了，打守關吏一記，樊耀光瞪守關吏，對著他罵）當官的沒一個好官！（守關吏終於安分）當民的全是窮人——好了好了！妳們兩個丫頭就別再……（對著忘記哭的兩個丫頭強烈示意）別再哭哭啼啼的了！

△　　春花、秋月會意，趕緊哭了起來。呂不韋將春花、秋月支開，二女退到一旁。

嫪毐：不韋君，這年頭愈是不好，您發得可就愈快了……

呂不韋：哈……這可真是奇怪了，怎麼愈是國有難，我怎麼就愈發財！不論戰國七雄，誰贏誰輸？我認為從政不如經商！我呂不韋多虧先父啟蒙流傳下一句話「商人無祖國」哈哈……

嫪毐：是！不韋君真是高瞻遠矚——現在歷史發展的原理「不是經濟遷就政治，而是政治服從經濟」！

呂不韋：聰明，嫪毐君算我沒白養你這食客——

△　　　葉子，上。

葉子： 老爺！膳房的酒菜都已經準備妥當了。

呂不韋： 許開文！你將你的女兒賣給我，你不反悔！？

守關吏： 反悔又有什麼用呢？——春花、秋月，爹對不起你

們死去的娘……（守關吏找著機會又奔向春花、秋月，

春花迎上，守關吏將春花推開，亂摸秋月）

△　　　異人自外，上。

秋月：（尖叫，狠狠推開守關吏）爹！

△　　　眾人怒視守關吏。

守關吏：（趕緊回到演出）……謝謝！謝謝呂大善人！有了這

筆錢，下官的日子就比較好過了——

△　　　守關吏心一慌，忘了接過呂不韋手上的包袱就急奔下

台，場上人尷尬。

呂不韋：（即興看著手上的包袱）這錢……該怎麼辦呢？

春花：（即興，嚎啕大哭）爹……

嫪毐：（即興）那就先交給他女兒吧！

呂不韋： 哦！好主意！來，春月、秋花！

嫪毐：（糾正）春花、秋月！

呂不韋：（依然喊錯）對對對！來來來……春月！

杜梅詩：（出戲，糾正樊耀光）春花！

呂不韋：（開始不悅）春月！

杜梅詩：（出戲，堅持糾正樊耀光）春花！

呂不韋：（決定跟杜梅詩槓上）春月！

杜梅詩：我叫春花！

呂不韋：（即興）從今起老爺就叫妳春月！春月！妳先拿著，
　　　　改天再轉交給妳爹！

　春花：是！老爺！（接包袱）

　嫽毒：異人君，多日不見，近來可好？

　異人：託嫽毒君的福，甚好！

　　△　在後台的守關吏想起包袱沒拿，又衝上台搶春花手中
　　　　的包袱。

守關吏：（跟春花搶包袱）給我……給我啦！（堅持重演，將搶到
　　　　的包袱丟給呂不韋，再從呂不韋手中接過包袱）謝謝呂大
　　　　善人！有了這筆錢，下官的日子就比較好過了！
　　　　謝謝（守關吏奔下，一邊慶幸著）還好我記得拿！

　　△　守關吏拿著包袱下。眾人尷尬。

　春花：（嚎啕大哭）爹！

呂不韋：好啦！妳就別再哭了！妳難過個什麼勁？（指秋月）
　　　　大家都看得出來妳爹喜歡的是她！好啦！別難
　　　　過了！趕快到後面梳洗打理一番！（依然想不起名

字）……春秋姐妹花！！

春花：

（同時）是！老爺！

秋月：

△　春花、秋月，下。

嫪毐：異人君，今日來呂府，彷彿有什麼喜事？

異人：師傅關心異人的婚姻，要異人任選一名愛妾為妻。

呂不韋：一點都不錯，我今天就做個現成的媒人。（拉過趙玉子）這位就是趙玉子！

葉子：（在旁虛偽地恭賀異人）異人公子！您跟趙玉子真是天造一雙、地設一對。您瞧她，從遠處看，她光豔得像太陽在朝霞中上升；從近處看，她明麗得有如荷花在清水中挺立——

△　葉子不停誇讚趙玉子，異人讚賞的眼光卻始終落在葉子身上。

異人：（讚葉子）你們瞧她！情態溫柔婉約，言語動人心弦——

嫪毐：（趕緊敲邊鼓）異人公子！像這樣的絕色美女，非異人公子不配！

異人：（向呂不韋）師傅！徒兒看中的是她（指葉子）。

呂不韋：不！（指趙玉子）師傅選中的是她！（呂不韋拉過玉子）

玉子！今天老爺就將妳轉手，（輕鬆地說著，像轉讓

一件貨物，將趙玉子的手交給異人）從今以後妳就是異

人公子的妻子了！

△　呂不韋大笑。

△　趙玉子悲從心生，望著一旁失魂落魄的嫪毒。

△　燈光暗。

S4

〈始皇降世〉

情境：

七月二日，《萬》劇首演進行中，本場次摘演《萬》劇第三場〈始皇降世〉。

場景：

異人家後院。（舞台右側是圍牆的景片，舞台中央置一涼亭，亭前一長形矮桌，桌上放燭台、筆硯與水果，矮桌左右各有一張坐墊。）

角色：

奶娘（黃小嫻飾）、異人（邱峰逸飾）、嫪毒（李修國飾）、趙玉子（黃千嘉飾）、葉子（劉佑珊飾）、廉頗（狄杰志飾）、呂不韋（樊耀光飾）。

△　白紗幕上投影字幕：

「第參場　始皇降世」

男聲：（OS）西元前兩百五十九年，秦昭王四十八年，異人與他的愛妻，在趙國邯鄲生下了一個白胖兒子——他就是秦始（音效扭曲變速）皇！

△　燈亮。

△　白紗幕升。

△　異人在後院焦急地踱步，奶娘拎著竹籃在一旁。

異人：（責怪奶娘）妳為什麼不緊跟著夫人？！

奶娘：（哭泣地）夫人抱著仔仔[12]去廟裡上香，片刻不離手，民婦回到廟裡接夫人，夫人竟然跟民婦說仔仔不見了——

異人：奶娘！仔仔要是有個三長兩短，妳就去死！

奶娘：（哭泣地）公子！公子——

△　異人，下。奶娘追著異人，亦下。

△　嫪毐抱著仔仔（用一塊布裹著熱水瓶充當嬰兒），與趙玉子自一角上。

嫪毐：玉子！殺了這孩子，妳跟著嫪毐走，我們遠走**高飛！**

趙玉子：不！異人公子將來回到秦國之後將要繼承王位，異

12　玉子所生之子，即未來的秦始皇。

人一旦即位，他答應呂不韋入爵封侯，出將入相
共享秦國之福，我們必須留下這孩子當一個餌！

嫪毐： 他不是我們的孩子，妳何苦留下呂不韋的孽種？

趙玉子： 嫪毐！這筆帳你還算不清楚嗎！？

嫪毐： 玉子！

趙玉子： （憧憬地）異人將來回秦繼統秦王，我就是王后（對嫪毐解釋）玉子與異人無情無愛，可玉子對你嫪毐發自肺腑，永愛不渝，至死無悔！（搶仔仔）仔仔給我！

嫪毐： 不——殺了他！

△　嫪毐與趙玉子爭搶仔仔，嬰兒身上的裹布被拉開，亮出嫪毐手上代替嬰兒的熱水瓶，二人驚惶失措，嫪毐佯裝哭泣緩衝反應時間，示意趙玉子即興。

趙玉子： （攤開裹布，即興）仔仔給我！別讓仔仔著涼了……

嫪毐： （無奈，照演）這孩子若是活了下來，將來必然是個禍害。

趙玉子： 這孩子將來也許能改變歷史。

嫪毐： （即興，對著熱水瓶）改變歷史？憑他這一副雞眼、凸胸的長相？

趙玉子： 他畢竟也是我的骨肉——嫪毐，仔仔給我（趙玉子順勢將裹布包回熱水瓶上）

嫪毐：不──殺了他！（嫪毐抱著熱水瓶，激動地奔下）

△　一角，葉子，上。

葉子：趙玉子！妳這個賤人！在呂不韋府妳是一個跟我明
　　　爭暗鬥的小賤人！我一時糊塗把妳獻給了異人，
　　　竟不料，老天爺眷顧於妳（趙玉子得意地笑），將來
　　　與異人回秦，可能成為王后──

△　葉子邊說邊從身後拿出一把短劍。趙玉子害怕，葉子
　　冷笑拔劍，卻只拔出一個空劍柄，兩女愣住。

葉子：（怎麼檢查都沒劍身）我……我差點被妳的巧計給矇
　　　了……（葉子乾脆舉劍柄打趙玉子，一揚手劍柄裡的伸縮
　　　劍身卻彈了出來，葉子受到驚嚇）

趙玉子：葉子！

△　鑼鼓點響起，二女舞劍追逐至定點，鑼鼓點暫停。

趙玉子：（握住葉子的劍，自信地說）……即便是妳殺了我，妳
　　　也無法取代我現在的地位！（趙玉子步步進逼，葉子
　　　退縮）妳從來就不瞭解男人心裡最底層的想法！

葉子：（被逼到底，恨恨地說）果然妳比我賤！（趙玉子冷笑）
　　　竟然先我一步看穿呂不韋藉金錢攀附權貴的陰
　　　謀！？

趙玉子：（得意）哈……妳想不到是我一手安排了我的每一步
　　　棋──

△　遠方傳來異人的聲音，音效此刻卻突然出錯，場上同時響起〈秦軍攻趙〉的開場OS。

異人： 玉子！玉子！……

男聲：（OS扭曲變速）秦國再度發兵攻打趙國，兩國之間無意談和。

△　兩女在出錯的OS聲中繼續演，場上煙霧瀰漫。

趙玉子：（聽到異人的聲音，故意拉過葉子，激她動手）妳殺！妳殺——

△　葉子高舉利劍卻殺不下手。

△　異人抱著熱水瓶與奶娘上場，趙玉子見到異人，馬上跌坐在地。

異人： 玉子！玉子！嫪毐找到仔仔了！？（見狀大驚）葉子！妳把劍放下——

△　趙玉子裝柔弱，葉子百口莫辯。緊張的鑼鼓節奏與煙霧讓飾演廉頗的狄杰志誤以為要演〈秦軍攻趙〉，遂持旗跑圓場，上。

廉頗：（持旗發令）眾將官！

△　眾人驚嚇，靜默。

趙玉子：（決定跳過廉頗，繼續演）……夫君！快攔住她，她要殺我！夫君！

葉子： 異人公子——

廉頗：（無視他人，自顧自地演下去）黃昏時刻，戰備警戒！

　△　跛腳的呂不韋與嫪毐，上，兩人看見廉頗，充滿困惑。

呂不韋：（一路呼喚著）葉子！……（看到廉頗，以為自己上錯場，情急欲下）

嫪毐：（拉住呂不韋，指廉頗）他上錯了！

呂不韋：（定神繼續演出）……葉子！妳快把劍放下！

　△　呂不韋勸說葉子把劍放下，葉子不肯。場中央的廉頗自知情急上錯場次，隨即默默將旗子放下，並急中生智將旗子當成掃把，假裝掃地。

趙玉子：（慌忙爬起，投向呂不韋懷抱）老爺！葉子不知何故，突然要殺玉子，請老爺作主！

異人：來人啊！……來人啊！……

葉子：（慌亂掙扎）不……

　△　原應於此時上場的老管家（由朱剛德飾演）並未上場。

廉頗：（即興用鄉音幫忙呼喊）老管家、老管家！老爺有請！

　△　老管家仍未出現。

嫪毐：（即興，走向廉頗）真巧！這裡剛好有一位將軍！（廉頗楞了一下）我們就請這位將軍帶走葉子——

廉頗：（如釋重負，即興）遵令！

異人：（即興附和）……送官嚴辦！

呂不韋：（即興附和）……對！

嫪毐：（即興附和）⋯⋯好主意！

△　廉頗拉著葉子，欲下。

黃小嫻：（即興追上廉頗，健步如飛，以秋月的聲調）這位將軍！

△　飾演奶娘的黃小嫻因與黃千嘉爭風吃醋，見狄杰志上錯場，遂把握機會緊巴著狄杰志。

嫪毐：（即興，趕緊提醒黃小嫻）妳是奶娘！妳是奶娘！

奶娘：⋯⋯哦！是！（回復彎腰駝背的老態）⋯⋯我來帶路！

（向廉頗）這邊請！

廉頗：（架住葉子）走！

△　奶娘下。廉頗押著掙扎的葉子，亦下。

△　黃千嘉見狄杰志與黃小嫻同下，氣急也要跟著下台，被李修國叫住。

嫪毐：玉子（躬身）夫人！您受驚了——

△　黃千嘉氣不過，沒接李修國的台詞便逕自扭頭下台。

異人：師傅！仔仔你幫我抱一下！（隨手將熱水瓶交給呂不韋，裏布掉地上）玉子！⋯⋯

△　異人追著趙玉子，下。

△　呂不韋不明就裡地拿著熱水瓶，嫪毐轉身看到這個狀況嚇了一大跳。

△　呂不韋琢磨半天，索性轉開熱水瓶倒熱水喝。嫪毐嚇得說不出話，示意呂不韋看地上的裏布。

△　呂不韋終於發現手上熱水瓶是「秦始皇」，嘴裡的茶噴

了出來。他默默蓋上瓶蓋，哄起熱水瓶。

嫪毐：（即興，拿起裹布）……別讓仔仔著涼了。

　△　嫪毐將裹布交給呂不韋，呂不韋拔起瓶蓋，將裹布包回去。

呂不韋：（拿著瓶蓋，即興）好可愛的小帽子！

嫪毐：（即興，寒暄）怎麼會有這種帽子？！

呂不韋：（即興）前兩天我去逛邯鄲的夜市！給仔仔買了一頂盔甲！

呂不韋：嫪毐君你請坐！你坐坐坐！我有點事兒我想問問你──

嫪毐：好盔甲。

　△　二人在長形矮桌兩側對坐，呂不韋將熱水瓶放地上。

呂不韋：前幾天我去了趟韓國。聽說秦昭王派白起大將軍攻趙，戰況激烈，這件事情不知道你聽說了沒！？

嫪毐：聽說了，當時我朝孝成王派趙括為將──

呂不韋：廉頗老將軍呢？

嫪毐：趙王中了秦國宰相范睢的離間計，在長平陣前撤掉了廉頗，改派趙括為將，統帥四十萬大軍！

呂不韋：荒唐！

　△　呂不韋拍桌，卻意外將桌子拍垮，嫪毐失去重心倒在地上，好一會才爬起。

嫪毐：（驚魂甫定，即興）……真是太荒唐了！

呂不韋：（俯身向前撿拾水果與燭台）嫪毐君！（將燭台放回矮桌上）

嫪毐：（即興，提醒）不韋君！仔仔這孩子是不是應該哭了？

△　預定的嬰兒哭泣音效未響起。

呂不韋：（即興）你看他睡得多甜啊！他一點事都沒有！（順手將熱水瓶挪開。隨即拉回正戲，邊說邊起身走地位）嫪毐君！趙括他不能帶兵打仗的嘛！這兩國之間爭來爭去、打來打去不都為了那些朝臣大官他們自個兒的利益嘛！？苦的全是像你我這樣安分、善良、不問政治的老百姓，您說是不是？嫪毐君！？（不慎一腳踢倒熱水瓶）

嫪毐：（作揖）是啊！

△　嬰兒哭聲突然在此時響起

△　燈暗。白紗幕降。

S5

〈秦軍攻趙〉B

情境：

7月2日，《萬里長城》首演進行中，本場次摘演《萬》劇第四場〈秦軍攻趙〉。

場景：

戰場。（背景仍是萬里長城，但場上空空，不見階梯狀堡壘。）

角色：

趙將廉頗（狄杰志）、四趙軍（許昂栢、李煒日、黃詠浩、陳又圓飾）、秦將王齕（侯明昌飾）、四秦軍（朱剛德、謝小忻、蔡傑順、林羽伯飾）。

△　白紗幕上投影字幕：
　　「第肆場　秦軍攻趙」

男聲：（OS）西元前兩百五十七年，秦昭王五十年，秦國再度發兵攻打趙國，兩國之間無意談和，（音效扭曲變速）弱小的趙國，勵精圖治，派密使攜帶重金聯絡各國，彼此同心，（回復正常）聯合抗秦！

△　燈亮。

△　白紗幕升。

△　戰鼓聲大作。

△　場上煙霧瀰漫。

△　稍頃，趙將廉頗拿著掃把跑圓場上。廉頗舞了一陣，赫然發現手上拿的不是大旗而是掃把，只得硬著頭皮揮舞掃把。

廉頗：眾將官！

△　四趙軍在台後應聲「有！」，跑圓場上，看見廉頗手上掃把，驚訝。

廉頗：黃昏時刻、戰備警戒！

四趙軍：啊！

△　趙軍甲向前，小心翼翼地從本應是堡壘處憑空跳過，五人就定位。

△　片刻，王齕持紅旗上，他看見廉頗手中掃把，幸災樂禍，故意跑到廉頗面前要弄手中大旗，廉頗不耐煩地將他推開。

王齕：（刻意強調捲舌音，怪腔怪調，本場以下皆同）眾將官「兒」！

△　三秦軍在台後應聲「有！」，隨即跑圓場，上。

王齕：活拿趙將廉頗「兒」，大王封萬戶侯「兒」，本將軍重賞「兒」，賞千金萬兩「兒」。通令全軍「兒」！

三秦軍：啊！

趙軍甲：報──

△　趙軍甲立刻打起旋子向前跑了一圈，回轉至趙營，正要跪下回報，卻被匆忙上場的秦軍甲打斷。

秦軍甲：報！（一路飛奔上台，誤跪在趙軍營中，得意地搶過趙軍甲的戲）鄭安平大將軍率兩萬騎兵在趙軍中寨，陣前投降！

△　秦軍甲漏詞，直接跳到第三次報信。

廉頗：（出聲喚趙軍甲）喂！看清楚了再報！

秦軍甲：（抬頭一看跪錯方向，大驚，即興匍匐前進回秦軍陣營）……王將軍！救我！……（爬至王齕跟前，起身對王齕）報！……（即興）剛才報過了！

△　秦軍甲退回陣中。趙軍甲跪下，接續前面未完的台詞。

趙軍甲：　　　楚國──

（同時）

王齕：　　（搶詞）唉呀！

趙軍甲： 　　（瞪王齕，重來一次）楚國——

　　　　　（同時）

王　齕： 　　（再搶詞）唉呀！

趙軍甲： 　　（賭氣地，一口氣說完）**楚國春申君率領十萬大軍南來救趙！啊！**（憤怒地拉長音嘶吼，退回陣中）

　　　　　（同時）

王　齕： 　　（又搶，搶輸）**哎呀！不好！**

王　齕：（接戲）待我王齕親自披掛上陣「兒」！（耍旗）廉頗「兒」！明年的今天就是你的忌日「兒」！眾將官「兒」！（四秦軍應聲）兩軍交戰「兒」，直取邯鄲「兒」！

三秦軍： 啊！

秦軍甲：（慢半拍）有！

廉　頗： 眾將官！

四趙軍： 啊！

廉　頗： 箭在弦、刀出鞘，殺他個片甲不留！

　△　　兩將、八兵齊聲開打。

　△　　對打中，廉頗打落王齕手中大旗。廉頗丟下掃把搶過旗，將大旗耍開向王齕示威。王齕手上空空，只好打起十三響回應。

王齕：（撿起掃把）哎呀！不好！走為上策！

　△　王齕奔下。

　△　趙軍甲、秦軍丁連翻數個後空翻。

　△　燈光暗。

　△　白紗幕降。

S6

〈嫪毐事件〉A

情境：

七月三日，首演翌日的下午，風屏劇團正為了晚上的公演進行
《萬》劇排練。排演進度已到了第六場〈嫪毐事件〉。眾人因在
《萬》劇分飾不同角色，在排練過程中因應場次的交替多次更換角
色服裝上場，只有樊耀光與黃小嫻全場皆著時裝，朱剛德則始終穿
著秦始皇的戲服。

場景：

排練時的舞台，背景為第六場〈嫪毐事件〉興樂宮的部分景片[13]。

---

13 排練狀態，佈景尚未設妥。

角色：

樊耀光（飾呂相國[14]）、狄杰志（飾廉頗、昌平君[15]）、黃千嘉（飾帝太后趙玉子[16]）、李修國（飾長信侯嫪毐[17]）、朱剛德（飾材士[18]甲、秦始皇）、侯明昌（飾材士乙）、杜梅詩（飾華陽夫人）、劉佑珊（飾宮女甲）、黃小嫻（飾宮女乙）、謝小忻、陳又圓、邱峰逸。

14　即呂不韋。異人即位後呂不韋加官進爵，受封為文信侯。及至秦王政即　　位，呂不韋成為右相國，其位在一人之下、萬人之上。

15　秦王政之臣，為留居秦國的楚國人。昌平君為左相國，地位相較於右相　　國呂不韋再次一等。其在呂不韋被流放後曾一度接任呂不韋之位，但最　　終亦遭秦王政放逐。

16　秦王政即位後，趙玉子受封為秦國帝太后。

17　趙玉子成為帝太后之後，嫪毐透過呂不韋的安排，混入宮中服侍帝太　　后，備受寵愛。始皇八年獲封為長信侯。

18　秦朝之宮門屯衛兵。

△　鑼鼓聲大作。

男聲：（OS）西元前兩百三十八年，秦始皇九年，他開始親自主持朝政，呂不韋和秦始皇陰謀進行權力鬥爭。他們衝突的導火線就是——〈嫪毐事件〉！

△　燈漸亮。

△　打雷閃電。

△　飾演呂相國的樊耀光穿著時裝在走位。

呂相國：老天爺啊！昔日聖賢之君王治理天下必先公而後私，公則天下平。天下，非一人之天下，天下之天下也！小趙政啊！我苦心經營的大秦霸業，難道就要毀在你的手裡？

△　狄杰志身上罩著時裝外套，上場扮演昌平君。

昌平君：參見呂相國！

呂相國：昌平君，快快給我搜！

△　狄杰志應聲，下。

△　一角，黃小嫻，上。

△　白紗幕升。

呂相國：老天爺啊！你是在懲罰我呂不韋嗎！？我豈能面對小趙政的陰謀鬥爭從此束手無策嗎！？……（看見黃小嫻，一時仍在角色中）長信侯？你居然還在興樂宮？還不快帶著（出戲）小嫻？這場沒有妳！

黃小嫻：（恍惚）我昨天一整個晚上都沒有睡好——

樊耀光：妳怎麼啦？昨天妳演得很好——真的！

黃小嫻：光哥！你告訴我，為什麼人活著會那麼痛苦？

　　△　　黃小嫻哭，場上打雷閃電音效大作。

樊耀光：小嫻，我只能跟妳說妳不要想太多！可是我建議

　　　　妳趕快離開帥哥[19]！（狄杰志自一角上，恰好聽見）帥

　　　　哥他真的是一個狗東西！這種愛情騙子我看太多

　　　　了！……

狄杰志：小嫻！

樊耀光：（見狄杰志，趕緊回到戲中）老天爺啊——難道你這是在

　　　　懲罰我呂不韋嗎？！

狄杰志：（對黃小嫻）妳有什麼話妳直接跟我講！我們的問題

　　　　就是妳不再跟我溝通。（質問樊耀光）樊耀光！她剛

　　　　才跟你說什麼？

樊耀光：（對狄杰志撇清）沒有——她沒有跟我說什麼，我對你

　　　　們的事情一點都不關心！

狄杰志：（試圖粉飾太平）……我們快要結婚了。

樊耀光：恭喜——

黃小嫻：我後悔了，我不想嫁給你。

19　狄杰志的綽號。

狄杰志：（聞言，向樊耀光抱怨起來）她就是這樣子常常顛三倒
四——

黃小嫻：你常常這樣子拈花惹草！

狄杰志：（失去耐性，吼）妳叫那個賤人黃千嘉出來！（黃小嫻聞
言，欲去，狄杰志趕緊阻止她，態度軟化）算了算了！我
是說妳可以當面問她我們是不是已經結束了？一
個巴掌怎麼拍得響！從頭到底是她在勾引我。哪
個男人禁得起誘惑？

　　△　樊耀光在旁假意練習呂相國身段，一面偷聽。

樊耀光：（忍不住插嘴，還用著呂相國聲調）你可以拒絕誘惑——

　　△　場上打雷閃電，狄杰志瞪樊耀光。

樊耀光：（再度撇清）我在練習，你們忙你們的喔！（又開始假裝
排練）老天爺啊——

黃小嫻：（還想向樊耀光訴苦）光哥，你不要聽他講！

狄杰志：小嫻！男人一輩子不是只有愛情，男人的事業就在
這裡（指舞台），在這個舞台上！（謝小忻、陳又圓著
宮女戲服自一角上）我在飯店當一個小公關經理委屈
這麼多年，就是希望能夠有一個電影導演、一個
電視台的製作人發現一顆閃亮耀眼的明星就站在
這裡（狄杰志擺起廉頗架勢，黃小嫻冷眼看著，轉身抱住

謝小忻、陳又圓哭了起來。狄杰志轉向樊耀光爭取認同）耀

光哥！你摸著良心說，昨天《萬里長城》首演，

是不是我演得最棒！

△　狄杰志擺好架式等待樊耀光贊同。

樊耀光：（搖頭，用呂相國口吻）……老天爺啊！怎麼會有人問

這種問題呢？！

狄杰志：（莫名其妙）你怎麼練來練去都是老天爺啊？

樊耀光：（反諷）因為我想我只能透過不斷地練習才能像你一

樣演得那麼棒！

狄杰志：（沒聽出來，當真地）那你需要更多的練習！

△　李修國穿著長信侯的外衣，上。

李修國：耀光，我老婆找你！

樊耀光：找得好。

△　樊耀光一跛一跛走下。

△　穿著異人戲服的邱峰逸與穿著王齕戲服的侯明昌，上。

陳又圓：（安慰黃小嫻，陪著哭）學姐，妳不要哭啦！？

李修國：（一頭霧水，對黃小嫻三人）妳們哭什麼？

謝小忻：（忿忿罵李修國、狄杰志）你們男人真的很賤！

△　打雷閃電。

△　陳又圓、謝小忻安慰著黃小嫻，三女，下。

李修國：（問狄杰志）他講你喔？

舒讀網「碼」上看

235-62
新北市中和區中正路800號13樓之3
印刻文學生活雜誌出版有限公司　收
　　　　　　　　　　讀者服務部

廣	告	回	信
板	橋	郵局登記證
板	橋	廣字第83號
免	貼	郵	票

姓名：_____　　性別：□男　□女

郵遞區號：_____

地址：_____

電話：（日）_____　　（夜）_____

傳真：_____

e-mail：_____

讀者服務卡

您買的書是：＿＿＿＿＿＿＿＿＿＿＿＿＿＿＿＿＿＿＿＿＿＿＿＿＿＿＿＿

生日：　　　年　　　月　　　日

學歷：□國中　　□高中　　□大專　　□研究所 (含以上)

職業：□學生　　□軍警公教 □服務業
　　　□工　　　□商　　　□大眾傳播
　　　□SOHO族　　　　　□學生　　□其他＿＿＿＿＿＿＿＿＿

購書方式：□門市＿＿＿ 書店 □網路書店 □親友贈送 □其他＿＿＿

購書原因：□題材吸引 □價格實在 □力挺作者 □設計新穎
　　　　　□就愛印刻 □其他＿＿＿＿＿＿＿＿＿ (可複選)

購買日期：＿＿＿＿年＿＿＿＿月＿＿＿＿日

你從哪裡得知本書：□書店 □報紙　 □雜誌 □網路 □親友介紹
　　　　　　　　　□DM傳單 □廣播 □電視　 □其他

你對本書的評價： (請填代號 1.非常滿意 2.滿意 3.普通 4.不滿意)
　　　　　　　書名＿＿＿ 內容＿＿＿封面設計＿＿＿版面設計＿＿＿

讀完本書後您覺得：

1.□非常喜歡　2.□喜歡　3.□普通　4.□不喜歡　5.□非常不喜歡

您對於本書建議：

＿＿＿＿＿＿＿＿＿＿＿＿＿＿＿＿＿＿＿＿＿＿＿＿＿＿＿＿＿＿＿＿

感謝您的惠顧，為了提供更好的服務，請填妥各欄資料，將讀者服務卡直接寄或傳真本社，
歡迎加入「印刻文學臉書粉絲專頁」：http://www.facebook.com/YinKeWenXue 和舒讀網
(http://www.sudu.cc)，我們將隨時提供最新的出版活動等相關訊息與購書優惠。
讀者服務專線：(02) 2228-1626　讀者傳真專線：(02) 2228-1598

狄杰志：（裝傻）應該不是吧！

李修國：帥哥，我們今天晚上的公演，可不可以非常順利，不要有任何一點差錯！？

狄杰志：昨天是阿剛〈秦軍攻趙〉那一場上早了，而且亂接台詞。我不知道他在台上幹什麼？

　△　侯明昌在一旁偷聽。

李修國：昨天首演第三場〈始皇降世〉，根本就沒有你的戲，你上台幹什麼？

狄杰志：（還想爭辯）團長，這件事誰對誰錯非常明顯！我聽到音效「咚咚咚」的戰鼓聲，連乾冰的煙都放出來了，所以我就拿了旗子就上啦——

李修國：你上錯、你就是上錯了——你「匡匡匡」上台一看你自己錯了，你就站著不要動，假裝你自己是木頭人！

　△　李修國擺出木頭人的姿勢示範給狄杰志看，狄杰志亦模仿木頭人姿勢。

狄杰志：（困惑地）木頭人？

李修國：（非常肯定）對，假裝你自己是木頭人！你錯了觀眾以為是對的！觀眾會以為我們風屏劇團在第三場〈始皇降世〉放一個將軍在那邊搞這種視覺、意象，是一種前衛藝術！

狄杰志：（半信半疑）前衛藝術？

侯明昌：（聽到一半，上前湊熱鬧）團長！昨天副導演他拿掃把上場也是前衛藝術？！

　△　侯明昌學廉頗拿掃把亮相的姿勢，哈哈大笑。

狄杰志：（聞言，數落侯明昌）你還敢講！你還敢講！阿昌！昨天你真的太過分了，你怎麼可以把旗子跟掃把插在一個桶子裡？你知不知道就是你害我拿掃把上台！

侯明昌：（理直氣壯地套用狄杰志的話反駁）檢查道具是演員基本的職業道德！

狄杰志：（辯不過，轉移話題）演員除了要有職業道德之外還要有技術水準嘛！你在台上演什麼東西，什麼怪腔怪調的（學王齮的怪姿勢、怪腔調）眾將「瓜兒」──我還種菜脯哩！

侯明昌：我練了一個晚上，是你說要有腔調「兒」……

　△　狄杰志與侯明昌吵個不停，李修國上前調停。

李修國：好了！昨天的事不要談了！我們把戲演好，好不好？

狄杰志：（忿忿地）算了！看在導演的面子上，我不跟你計較！

△　朱剛德穿著秦始皇戲服，推著一根圓柱景片上。

李修國：（一面鼓勵眾人把戲演好，一面問侯明昌）阿昌！昨天〈始皇降世〉那一場包袱裡面應該是一個小孩，他怎麼會是一個熱水瓶？！

侯明昌：（理直氣壯）我包得很緊，是你們自己要把他拿出來的。

△　李修國沒好氣，侯明昌，下。

△　打雷閃電。

△　朱剛德將圓柱景片留在舞台左側一角，走向李修國抱怨。

朱剛德：團長，這場〈嫪毐事件〉到底排不排？！

狄杰志：（接話）排排排！誰說不排？

朱剛德：我在跟團長說話！（繞過狄杰志）團長！這場〈嫪毐事件〉──

李修國：排排排！誰說不排的？！（突然發現朱剛德服裝有異）阿剛！阿剛！這場第六場你演一個小士兵──

△　狄杰志被忽視，滿懷不悅下台。

朱剛德：對呀！

李修國：（學朱剛德的語氣）對啊！（吼）誰叫你穿秦始皇的衣服？

朱剛德：沒有啦！我是利用時間先換衣服啊！我以為你們這場不排了──

李修國：（斥責）什麼你以為啊！我問你，昨天〈始皇降世〉那一場戲叫你「老管家！老管家！」你幹麻不上台？

朱剛德：團長，老管家只是上台說句「是！老爺」就下台了，我以為這種膚淺的角色可有可無，所以我就自己把它刪了！（越說越得意）不過要演秦始皇的話我可是判若兩人！

李修國：（不悅，頓）你以為風屏劇團，應不應該演《萬里長城》！？（頓）你以為風屏劇團應不應該找你來演戲？（頓）你以為你是誰啊你！？

朱剛德：（被逼到快哭了）我是誰？我不知道我是誰？

　　△　樊耀光著水衣、劉佑珊著宮女戲服、杜梅詩著華陽夫人戲服，三人走上。杜梅詩尚未戴頭套，頂著自己原來的時裝爆炸頭髮型。

劉佑珊：耀光！你要去哪裡！？

李修國：你要去哪裡！

樊耀光：（低迷）去哪裡都一樣，我其實整個人的靈魂已經不在我的身體裡！

　　△　杜梅詩聞言冷笑。

李修國：耀光！你要堅強！風屏劇團的人都支持你！

劉佑珊：人生難免都會經歷一些挫敗！跌倒了再站起來！

杜梅詩：（酸言酸語）他的命就是這樣，犯了六鬼煞，身上有多少錢就被坑多少錢。（劉佑珊上前勸阻，杜梅詩不聽，不停咒罵）他到底要躲到什麼時候？拉著我老公去買股票，說什麼逢低買進、逢壓賣出，買進、賣出、買進、賣出，說這樣就可以賺錢！？

朱剛德：人家耀光是被一位立法委員給坑的……

杜梅詩：股票市場每天都是跌停板，阿剛他懂什麼股票！？他連洗衣板上哪兒買都不知道，你叫他去買跌停板？！

　△　杜梅詩一罵，樊、朱二人無語。杜梅詩氣不過，下。

朱剛德：耀光，其實我老婆始終都不知道是我把你給拖垮的！

　△　朱剛德嘗試辯解，樊耀光萬念俱灰，劉佑珊與李修國阻止眾人繼續爭辯，一搭一唱。

劉佑珊：好了！好了！

李修國：這些事不要再講，我們把戲演好嘛……

劉佑珊：（拉過樊耀光）耀光！（李修國在旁附和「你聽我老婆講！」）我知道你受了很多委屈，承受了太多的壓力。（李修國附和「對，你聽我老婆講！」）不過，你知道不是任何事情都可以用錢解決的，（李修國附和「對，你聽她講的多好！」，劉佑珊越說越自信）錢不是重點！（樊

耀光爭辯「可是錢才是重點……」，劉佑珊搶過話頭）你去想，你演《萬里長城》的呂不韋，呂不韋最後的遭遇是什麼？他由商從政，搞一堆陰謀詭計。最後的下場是什麼？被鬥爭死了對不對？（李修國大聲附和「對嘛！」）

樊耀光：（低迷）而且死得很慘！我就會像他一樣對不對？

劉佑珊： 不不……（嘗試說服樊耀光，但不忘先請示李修國）我講得好讓我講？……（李修國讓她講，劉佑珊得意的說）戲跟人生剛好是相反的！

李修國：（聞言大怒）戲跟人生不是相反的，戲就是人生，人生就是戲，妳在講什麼東西啊！亂講！妳走開走開！妳不會講妳不要講嘛！

　△　李修國與劉佑珊吵起來，變成樊耀光調停。

樊耀光： 不要吵架！不要吵架！……（大吼）我好了！我好了！（李修國、劉佑珊被樊耀光的反應嚇到，愣住。樊耀光繼續吼）對！錢不是重點！聽完你們夫妻的開導，我好舒服！（戴上冠帽，戴歪了）我從來沒有這麼平靜過！我感覺我的靈魂都回到我的身體了！！（深呼吸）真的，我好了！我們幹活吧。

李修國： 對！拿出你以前的工作態度。

△　劉佑珊，下。

樊耀光：從現在開始我就當一天和尚撞一天鐘。

朱剛德：（得意地糾正）耀光，應該是當一天鐘撞一天和尚。

李修國：（再度糾正）阿剛！你拿鐘撞和尚幹什麼，當然是拿和尚去撞鐘嘛！你下去換小兵衣服！

樊耀光：修國，不要吵架了好不好？我們繼續排演〈嫪毐事件〉！

△　李修國就定位，兩人開始排練。

樊耀光：「長信侯──」

李修國：「呂相國──」

樊耀光：「嫪毐」

△　著帝太后戲服的黃千嘉自一角上。

黃千嘉：很抱歉！那兩個字唸「ㄌㄠˋ」「ㄞˇ」，不是唸「ㄇㄧㄡˋ」「ㄉㄨˊ」。

李修國：千嘉！昨天晚上我們首演，一直都是叫「ㄇㄧㄡˋ」「ㄉㄨˊ」、「ㄇㄧㄡˋ」「ㄉㄨˊ」啊！

△　狄杰志換上了昌平君戲服，自一角上。

狄杰志：（附和李修國）對啊！

黃千嘉：（不理狄杰志，堅持）昨天首演之後，我回家查過字典，那個字是古字，要唸「ㄌㄠˋ」「ㄞˇ」！

狄杰志：（勸黃千嘉）「ㄌㄠˋ」「ㄞˇ」、「ㄇㄧㄡˋ」、「ㄌㄨˊ」都只是名字嘛！名字只是一種符號，妳管他是不是古字呢？！

黃千嘉：（先向李、樊澄清）我是就戲論戲！（馬上轉向狄杰志，借題發揮）既然錯了就應該立刻改——

　　△　李修國與樊耀光在旁討論起嫪毐的讀音問題。

狄杰志：（轉移焦點，對樊耀光）樊先生！昨天首演第二場〈呂獻愛姬〉你踢我幹什麼？

樊耀光：（想起舊怨，亦怒）我們在台上演戲，你蹲在台口看什麼戲？

狄杰志：我在那看戲啊？你搞清楚，我是副導演，我在那兒盯場！

樊耀光：你蹲在旁邊害我摔了一跤……我演呂不韋，一瘸一瘸地演（瘸腿走路），你叫我怎麼演？

狄杰志：那就對了！

樊耀光：對？！

狄杰志：（狡辯）你仔細想想，呂不韋年輕的時候帶兵打仗，南征北討的，身上難免帶點傷嘛！所以一定是這樣一瘸一瘸地走路（瘸腿走路），這樣的表演才正確，你該謝謝我！

樊耀光：（對狄杰志的發言感到不可理喻）我還謝謝你！？呂不韋

帶兵打仗？！

狄杰志：（篤定）南征北討！

樊耀光：（大吼）呂不韋是個商人！

　△　狄杰志一時語塞。

黃千嘉：（對狄杰志吼）你為什麼沒有勇氣承認你的錯誤？！

樊耀光：（怒極，也對狄杰志吼）對啊！

　△　打雷閃電。眾人盯著狄杰志看，狄杰志拉不下臉，惱
　　　羞成怒。

狄杰志：李修國！我堅持將錯就錯！「ㄇㄧㄡˋ」「ㄉㄨˊ」
就是「ㄇㄧㄡˋ」「ㄉㄨˊ」，（針對黃千嘉）誰要是
改口說「ㄉㄠˋ」「ㄞˇ」，我扭頭就走！

　△　打雷閃電。狄杰志轉身離去，走到台側又回頭恐嚇眾
　　　人。

狄杰志：晚上公演你們自己看著辦！

　△　打雷閃電。

　△　狄杰志，下。

　△　燈漸暗。

　△　白紗幕降。

S7

〈嫪毒事件〉B

情境：

《萬》劇在七月三日晚間的正式公演，本場次摘演《萬》劇第六場〈嫪毒事件〉。下午排演時的混亂一直持續到正式公演中，扮演死亡宮女的黃小嫻竟穿著時裝、朱剛德亦未進入狀況，誤穿秦始皇戲服。

場景：

興樂宮之後宮一角，一輪明月當空。

角色：

昌平君（狄杰志飾）、校衛（黃詠浩飾）、材士甲、乙、丙、丁（朱剛德、侯明昌、林羽伯、李煒日飾）、宮女甲、乙、丙、丁（劉佑珊、黃小嫻、謝小忻、陳又圓飾）、叛軍甲、乙（許昂栢、蔡傑順飾）、宦官戎翟君公（邱峰逸飾）、嫪毒（李修國飾）、帝太后（黃千嘉飾）、呂相國（樊耀光飾）。

△　鑼鼓聲急促。

△　白紗幕依序投影下列字幕與影像：

「七月三日」

「風屏劇團　演出」

「萬里長城」

《萬》劇自楔子～第五場每場的動態演出片段各一，共六段。

男聲：（OS，音效扭曲變速）西元前兩百三十八年，秦始皇九年，他開始親自主持朝政，呂不韋和秦始皇（回復正常）陰謀進行權力鬥爭。他們衝突的導火線就是──〈嫪毐事件〉！（音效仍將嫪毐誤讀為「ㄇㄧㄡˋ」「ㄉㄨˊ」）

△　燈光微亮。

△　昌平君帶領材士們在興樂宮廝殺，侯明昌扮演的材士乙錯拿掃把當武器。宮女甲、乙、丙、丁與叛軍甲、乙被殺，七橫八豎地倒在場上。因廊柱放錯位置，原應抱柱而死的宮女甲只好憑空抱柱而死，不應抱柱而死的宮女乙也只好抱柱而死。

△　誤穿秦始皇戲服的材士甲手持花槍，架著宦官戎翟君公[20]，上。

材士甲：啟稟昌平君！戎翟君公帶到──

20　在嫪毐之亂中出兵協助嫪毐的宦官。

昌平君：快將那戎翟君公給我押回蘄年宮！交給那秦始
皇——

△　昌平君說著，轉身見到穿著秦始皇戲服的材士甲。

昌平君：（反射性跪下）萬歲萬歲萬萬歲！（材士甲這才發現自己穿
錯服裝，慌。狄杰志無奈地說完台詞）交給那秦始皇親
手問斬！

材士甲：（即興，用秦始皇口吻說話）你們效率太差，孤王我親自
來押人！

△　打雷閃電。

△　材士甲押宦官，下。

△　燈光暗。

△　材士乙默默將廊柱推回宮女甲前方的正確位置，卻變
成宮女乙在場上憑空抱柱而死。

昌平君：材士們！

材士乙：（忙著推柱）有！

昌平君：（找不到人）材士們！

材士乙：（到昌平君旁）有！

△　白紗幕上投影字幕：
「該晚公演　有驚無險」。

昌平君：再去給我搜！

材士乙：是！

△　　昌平君與材士乙，下。

　△　　白紗幕升。

　△　　燈亮。

　△　　帝太后與年邁的長信侯嫪毐上，嫪毐手中拿著玉璽。

嫪毐：（見到場中央憑空抱柱死的宮女乙，一愣）……玉子！事
　　　不宜遲，這就往蘄年宮發兵去！

帝太后：「ㄉㄠˋ」「ㄞˇ」！我真的好怕！就算我們奪了
　　　權、篡了位，又能如何？！「ㄉㄠˋ」「ㄞˇ」！
　　　自從入宮，我們又何曾度過從前那樣平淡、甜美
　　　的日子？我們何不奔出咸陽隱居山林，做一對平
　　　平凡凡的貧賤夫妻，只求與世無爭，不好嗎！？
　　　「ㄉㄠˋ」「ㄞˇ」！

嫪毐：玉子！「ㄉㄠˋ」「ㄞˇ」（邊說邊張望狄杰志在後台是
　　　否聽到）能有今日，功全在妳，是妳一手造就了我
　　　「ㄉㄠˋ」「ㄞˇ」！事到如今……我不鬥人、人
　　　鬥我！流血革命，在所不惜！（打雷閃電）只待兵
　　　變成功，大秦的歷史就得改寫！

　△　　呂相國，上。

呂相國：「ㄇㄧㄡˋ」「ㄉㄨˊ」——快快回心轉意！莫因兵
　　　變不成，夷禍九族！

帝太后：呂相國！（即興糾正）他是「ㄉㄠˋ」「ㄞˇ」！

呂相國： 你要是不肯順從於我，你就是不忠不臣、不仁不義！（遲疑了一下，改口）「ㄉㄠˋ」「ㄞˇ」！

嫪毐： 哈哈……忠臣不得好死！仁義不能善終！虧你在秦已任三朝元老，這忠信仁義，何嘗又是你呂相國所作所為？！哈……單就你那偉大著作《呂氏春秋》而言，你廣結賓客三千，集體為你著述，完成了八覽六論十二紀凡二十餘萬言。你上通天文，下通萬物，古今之事，你無所不知！可就沒有一個字是你親手刻寫……你在秦朝，當的是什麼相國！？

呂相國： 你……！

帝太后： 呂不韋！兵變將起，發兵在即！任你囂張跋扈，時日不多！你快投靠我和「ㄉㄠˋ」「ㄞˇ」吧！

呂相國： 呸！妳背著皇上和我，公然在興樂宮私通，妳還有什麼臉跟我提兵變之事！？「ㄇㄧㄡˋ」──

李修國： （趕緊提醒飾演呂相國的樊耀光）「ㄉㄠˋ」！

呂相國： （趕緊改口）「ㄞˇ」？

　　△　昌平君手持木劍，上。

嫪毐： （看見飾演昌平君的狄杰志，趕緊即興補充）我叫「ㄇㄧㄡˋ」「ㄉㄨˊ」！

呂相國：（即興，安撫地）他叫「ㄇㄧㄡˋ」「ㄅㄨˊ」……

昌平君：你們兩個！快快交出你差人盜取的皇上玉璽則免你
們一死！

呂相國：念在故交，快打消你兵變的主意，我還能在皇上面
前保荐於你，（說給狄杰志聽）「ㄇㄧㄡˋ」「ㄅㄨˊ」
──

帝太后：呂不韋的話不足採信，（刻意挑釁狄杰志）「ㄉㄠˋ」
「ㄞˇ」！

狄杰志：（被黃千嘉激怒）你們自己看著辦吧！

　　△　　狄杰志丟下木劍欲走。

樊耀光：（出戲，忙指李修國）他叫「ㄇㄧㄡˋ」「ㄅㄨˊ」！他
叫「ㄇㄧㄡˋ」「ㄅㄨˊ」！

狄杰志：（出戲，對李修國）你怎麼說？

李修國：（出戲，用手按捺黃千嘉）我叫「ㄇㄧㄡˋ」「ㄅㄨˊ」！

狄杰志：（回到定位飾演昌平君）呂相國。

呂相國：（即興，提示）劍！

昌平君：（不解）你賤？

呂相國：（提示）我不賤！你劍？

昌平君：（不悅）我哪裡賤？

呂相國：（指著掉在地下的劍）你這裡劍！

昌平君：（看到劍）我劍！（拾起劍）在這裡！（回戲）相國，快讓

為臣殺了趙玉子與「ㄇㄧㄡˋ」「ㄅㄨˊ」！

  △ 昌平君提劍準備砍殺，呂相國按住他的手，二人僵滯

不動。

  △ 一旁，帝太后開口欲叫「ㄅㄠˋ ── 」，被嫪毐摀住

嘴巴。

嫪毐：昌平君！「ㄇㄧㄡˋ」「ㄅㄨˊ」我不是個貪生怕

死之徒！玉子！大勢已去，（小聲對帝太后）妳就隨

「ㄅㄠˋ」「ㄞˇ」逃命去吧（拉著帝太后欲逃）

昌平君：站住！「ㄇㄧㄡˋ」「ㄅㄨˊ」！（欲追）

呂相國：（拉住昌平君）昌平君！看我的面子，放他們一條生

路──

  △ 打雷閃電。

嫪毐：（跪在呂相國跟前）呂相國！兵變若是成功！我仍願封

你為相國！

  △ 嫪毐將玉璽交給呂相國。

昌平君：相國！絕不能縱虎歸山！快殺了那「ㄇㄧㄡˋ」

「ㄅㄨˊ」──

帝太后：（上前拉嫪毐，挑釁地）「ㄅㄠˋ」「ㄞˇ」！我們快走！

  △ 昌平君不滿，欲下台，呂相國拉住他。

呂相國：（焦頭爛額，錯亂）你們快走吧！「ㄇㄧㄡˋ」「ㄞˇ」

（眾愣）你們快走吧！「ㄅㄠˋ」「ㄅㄨˊ」？快走吧！（眾又愣）你們快走吧！烙跑！？

△　嫪毐、帝太后，下。呂相國搖頭嘆氣，欲下。

昌平君：（朝嫪毐逃跑方向叫喊）**站住！**（回身，怒罵呂相國）**呂相國你竟敢公然違抗聖旨！你完了！**（說罷，轉身朝嫪毐逃走方向追去）**站住**（追到一半，故意停下來對著呂相國說）「ㄇㄧㄡˋ」「ㄅㄨˊ」！

呂相國：（無奈，即興）**你對！**

△　打雷閃電。

△　昌平君，下。

△　燈光漸暗，白紗幕降。

呂相國：（對天大喊）**老天爺啊！我就知道會有今天！？**

△　幽微的光線中，呂相國的聲音不斷迴響。宮女乙終於支撐不住倒地，又嚇到呂相國。

△　白紗幕上投影字幕：
「老天爺啊　我就知道會有今天」。

呂相國：唉！

△　燈光全暗，大幕落。

——中場休息——

S8

〈戰國七雄〉

情境：

風屏劇團在七月六日的《萬》劇公演，摘演場次為《萬》劇楔子〈戰國七雄〉。本場次以舞蹈和京劇的程式動作表現戰國七雄相互征戰廝殺的意象。

場景：

戰場。

角色：

八名士兵各自代表戰國七雄軍力——秦（許昂栢、林羽伯[21]飾）、趙（黃詠浩飾）、楚（陳又圓飾）、魏（李煒日飾）、燕（謝小忻飾）、韓（黃小嫻飾）、齊（蔡傑順飾）。

21　秦國士兵有兩人，象徵秦遠勝他國的強大軍力。

△　《萬》劇序場音樂。

△　大幕上投影字幕：

　　「七月六日　公演日」。

△　大幕啟。

△　燈漸亮。

△　在白紗幕後，八名士兵跑圓場上，每名士兵手執各色
　　上書「秦」、「趙」、「楚」、「魏」、「韓」、「燕」、「齊」
　　的大旗代表該國。

△　白紗幕上投影字幕：

　　「萬里長城」

　　「秦　楚　燕　齊　韓　趙　魏」

　　「楔子　戰國七雄」

男聲：（OS）西元前四百零三年，周威烈王二十三年，
韓、趙、魏三家分晉，周朝從此王權衰弱、禮教
崩壞。在中國五千年的歷史中，那是一個群雄爭
霸、殘殺鬥爭的——戰國時代！

△　八名士兵就定位。

△　〈戰國七雄〉舞蹈音樂揚起。

戰國七雄：殺！

△　白紗幕升。

△　場上煙霧瀰漫。

△　八名士兵揮旗舞蹈，不斷變換陣形，表現戰國七雄間
　　的激烈戰爭。

△　結尾前，其他六國紛紛丟棄手中旗幟，伏地歸順，兩
　　秦兵踩在六國兵身上，揮揚紅旗，象徵天下皆被秦統
　　一。

△　燈光暗。

△　白紗幕降。

S9

〈華陽夫人〉

情境：

風屏劇團在七月六日的《萬》劇公演，本場次摘演《萬》劇第一場
〈華陽夫人〉。

場景：

興安宮。

角色：

呂不韋（樊耀光飾）、嫪毐（李修國飾）、陽泉君（朱剛德飾）、
華陽夫人（杜梅詩飾）、宮女乙、丙、丁（黃小嫻、陳又圓、謝小
忻飾）、衛率甲、乙（許昂栢、蔡傑順飾）、狄杰志。

△　投影字幕：
　　「第壹場 華陽夫人」

男聲：（OS）西元前兩百六十五年，秦昭王四十二年，一
　　　名珠寶商人呂不韋，興起了由商從政的念頭，他
　　　決定前往秦國，拜會華陽夫人……

△　燈光亮。
△　白紗幕升。
△　華陽夫人、嫪毐與呂不韋在場上。

嫪毐：夫人！這是呂不韋在趙國邯鄲買了一些奇物玩
　　　好——

呂不韋：（一邊打開寶箱，拿出銅羊燈[22]給嫪毐）不值什麼錢！

嫪毐：（將燈獻給華陽夫人）專程趕來咸陽，就是為了獻給夫
　　　人您的！

呂不韋：沒花什麼錢！

華陽夫人：這個是——？

呂不韋：反正我家裡有的是錢！

華陽夫人：（杜梅詩勾起戲外被樊耀光連累以致投資失敗的私人情緒，怒
　　　指飾演呂不韋的樊耀光）你是什麼東西！

△　場上尷尬，嫪毐介於華陽夫人與呂不韋之間緩頰。

22　古油燈名，羊型外觀，由青銅製成。因「羊」與「祥」諧音，向來被視為
　　吉祥之物。

嫪毐：（即興，對呂不韋）……夫人是問你，這是什麼東西！

呂不韋：（順勢接戲）這是銅羊燈，源自於魏國，據說是魏文侯的御史大夫西門豹的家傳之寶，因為流落到了邯鄲街市上，讓我給買下來了──

　△　宮女丙、丁執宮扇，與詹事同上，各立一角。

嫪毐：夫人請您笑納。

華陽夫人：巧然……

　△　華陽夫人連喚數聲，宮女乙卻不在場上。

嫪毐：（即興）……夫人我看您暫時先交給詹事吧！

華陽夫人：詹事！

詹事：是，夫人。

　△　詹事上前接燈。

華陽夫人：把這個──

詹事：（討好提醒）銅羊燈！

華陽夫人：（刻意輕蔑，即興）破銅爛鐵拿去扔了！

　△　樊耀光吃了悶虧，氣得說不出話。

詹事：來人啊！把趙國陽荻商人呂不韋進貢的這箱奇物玩好抬進「金石堂 23」！

　△　衛率甲、乙，上。

23　收藏金石古玩逸品之處，亦與台灣大型連鎖書店同名。

衛率甲：

（同時）是！

衛率乙：

△ 衛率甲、乙正欲動作，時裝打扮的狄杰志手持傘蓋[24]與掃把，追著生氣的宮女乙黃小嫻，闖上舞台。

狄杰志：小嫻，小嫻！……

△ 狄杰志、黃小嫻發現自己打斷了演出，驚呆。

△ 片刻，小嫻緩緩從狄杰志手中拿過傘蓋，接戲。

黃小嫻：（大喊）奴婢在！（持龍帳走到一角）

△ 狄杰志木立不動，裝木頭人。

呂不韋：（即興，指狄杰志）嫪毐君，戰國七雄「秦、齊、楚、燕、韓、趙、魏」，你看那個人他是哪國人？

嫪毐：（即興，打量狄杰志）我看他不像秦國人？！

狄杰志：（會意，即興）沒錯！我是……（戴起自己外套上的毛帽）匈奴人！我是來……打家劫舍的！

△ 狄杰志搶過詹事手上的銅羊燈，跨騎在掃把上，哈哈一笑，假裝騎馬奔下台。

詹事：（口吃，即興）有……有刺客！快追！

△ 詹事追狄杰志，下。衛率甲、乙本待跟著詹事追，被嫪毐阻止。

---

24 華陽夫人所用之帳幕，狀如陽傘，構造為一根長柄支撐著錦繡製成的巨大頂蓋，約二人高度。頂蓋邊緣有流蘇垂飾。

嫪毐：（對衛率甲、乙，即興）不要理他，你們下去！

衛率甲：

（同時）是！

衛率乙：

　△　衛率甲、乙抬起寶箱，下。

呂不韋：啟稟夫人，可容不韋進一言？

華陽夫人：說話——

呂不韋：（拿出竹簡給嫪毐）嫪毐君，請你將這份擬好的契約內
　　　　容唸給夫人聽！夫人若是同意，就請您連夜送往
　　　　趙國轉交給異人公子。

嫪毐：那麼我就唸了。

呂不韋：嫪毐君請。

嫪毐：（唸出竹簡上文字）「秦昭王四十二年六月朔日午時，
　　　異人生母夏姬將其次子異人過繼華陽夫人，異
　　　人拜華陽夫人為養母並納為嫡長子，呂不韋見
　　　證……」

　△　嫪毐唸著，一抖竹簡，不料竹簡道具散落一地。

嫪毐：（拎著殘餘的竹簡，驚慌失措）我還沒唸完！……

呂不韋：（幫著撿地上竹簡）我來幫你一起唸！（念手上竹簡）「我
　　　　呂不韋」……（再撿起一竹簡，唸）「自認拜華陽夫人
　　　　為養母」！

華陽夫人：（沒好氣，即興，撇清）誰養你啊！

　　△　呂不韋吶吶，嫪毐接戲，呂不韋邊整理竹簡邊遞給嫪毐。

　嫪毐：還是我來唸吧！……（接過一竹簡，照唸）「華陽夫人生夏母姬」！

　　△　華陽夫人更加憤怒，嫪毐嚇得把所有竹簡丟還給呂不韋。

　呂不韋：（樊耀光握著竹簡靈機一動，利用此機會即興嘲弄杜梅詩）哦！對！妳生母雞我見證！！……（杜梅詩氣得說不出話，樊耀光作勢將竹簡遞給杜梅詩，即興）華陽夫人！您要不要也抽一支啊？

華陽夫人：（生氣地，即興）我……我抽你耳光！

　呂不韋：夫人您看這份契約沒有問題吧？！

華陽夫人：（忍怒，回戲）這份契約文采洋溢深得我心！！

　呂不韋：（躬身下拜）今日既然夫人同意將異人公子納為嫡長子，不韋必當盡力設法營救異人公子返回大秦國！

華陽夫人：（咬牙）不韋君，你是我今生見過最陰險的小人！

　呂不韋：（故作欣然承受）夫人罵的好！

華陽夫人：（怒笑）哈哈哈……

　　△　燈光暗。

　　△　白紗幕降。

S10

〈異人返鄉〉B

情境：

風屏劇團在七月六日的《萬》劇公演，現已進行到第五場〈異人返鄉〉。同時，在演出後台，演員間因彼此的心結引爆出一連串的糾紛，使台前的正式演出大受影響。

場景：

興安宮／後台。

角色：

呂不韋（樊耀光飾）、宮女甲、乙、丙、丁（劉佑珊、黃小嫻、謝小忻、陳又圓飾）、趙玉子（黃千嘉飾）、狄杰志、異人（邱峰逸飾）、李修國、華陽夫人（杜梅詩飾）、侯明昌、詹事（朱剛德飾）、校衛（黃詠浩飾）、四衛率（許昂栢、蔡傑順、林羽伯、李煒日[25]飾）

---

25 這一景中，出演《萬》劇第五場的演員皆換上所屬角色服裝。李修國、侯明昌、狄杰志三人第五場沒戲，李修國穿著水衣以便下一場換裝，侯明昌已換上下一場演出的材士戲服，狄杰志穿著廉頗戲服。只有黃千嘉在台後時著水衣，上台演出時才換上趙玉子戲服。

△　轉場鑼鼓聲。

△　燈光微亮，可見到四檢場將興安宮殿門翻轉一百八十度成大背台狀態，舞台中間降一黑紗幕將舞台表演區分隔為前後兩半，以示公演進行中的前台與後台[26]。

△　燈暗。

△　白紗幕上依序投影下列影像：

《萬》劇第二、三、四場每場的動態演出片段各一，共三段。

「第五場　異人返鄉」（此張字幕左右顛倒）

△　緊鑼密鼓，戰爭廝殺聲漸起。

男聲：（OS）西元前兩百五十七年，秦昭王五十年，投機商人呂不韋，終於帶著他投資的政治工具——異人，他們回到了異人公子朝思暮想的興安宮。

（台前）	（台後）
呂不韋：（黑暗中，即興）後台……後宮有人嗎！？	△　宮女裝扮的黃小嫻與穿著水衣的黃千嘉在後台爭執。
△　燈漸亮，露出興安宮氣派宮門的	△　劉佑珊來拉黃小嫻上台。

26　本場次興安宮場景翻轉，呈現從後台看向前台的角度，黑紗幕前（舞台前緣）是後台的情況、黑紗幕後（舞台）才是前台的公演。因應觀看視角的改變，不僅宮門反面擺放，〈異人返鄉〉的演員走位亦如鏡像般前後左右相反。

背面，木頭支架與帆布結構上潦草地寫著道具名稱「興安宮」。呂不韋站在台階上張望。

△ 宮女甲、乙上，呂不韋示意二人趕緊接戲。

宮女乙： 什麼人？竟敢私闖皇太子後宮？

呂不韋： 在下呂不韋，絕非敗類——（聽到後台的吵架聲，頓）有要事稟報，盼望立刻求見華陽夫人！

宮女甲： 巧然！萬萬不可……此人絕非善類——

劉佑珊： 小嫻！該妳上台了！妳在幹嘛？

△ 劉佑珊催黃小嫻，下。

△ 穿著廉頗戲服的狄杰志自一角上。

狄杰志： 妳有完沒完？!妳把我當什麼人？

黃千嘉： （接前台的詞，大喊）超級敗類！

△ 白紗幕上投影字幕：「該晚公演　風平浪靜演出後台　一波三折」

狄杰志： 妳再說一次——

黃千嘉： （接前台的詞，歇斯

143

宮女甲：（被後台的聲音打斷，呂不韋朝後台張望）冒然請夫人前來，若有差錯，妳我可是擔待不起！

呂不韋：二位！是異人公子求見華陽夫人，若有延誤妳們可是吃罪不輕！異人君……

△　呂不韋向外呼喊異人，急下。

宮女甲：快回稟夫人去！

宮女乙：是！

△　宮女乙，下。異人，上。

異人：師傅……師傅！

異人：師傅！師傅！

底里地大喊）說得好！

△　燈漸亮。
△　白紗幕升。

△　李修國穿著水衣自一角上。杜梅詩，上。

李修國：後台在吵什麼？前面在演戲！

狄杰志：團長！沒事！沒事！

△　狄杰志與黃千嘉故做若無其事。

△　樊耀光氣急敗壞上。

樊耀光：後台怎麼搞的？宮女為什麼不上台？

144

△　呂不韋沒上場。

異人：師傅！

　　△　異人不斷呼喚，
　　　　但呂不韋一直沒
　　　　上場。

異人：（等不到呂不韋，大
　　　吼）師——傅！

　　△　宮女甲趕忙下場
　　　　找宮女乙。

杜梅詩：（酸）你不高興也可
　　　　以不要上台！

李修國：（忙要眾人輕聲）拜
　　　　託大家演完再說
　　　　好不好？

　　△　黃小嫻怒氣沖沖，
　　　　上。

黃小嫻：黃千嘉，妳到底
　　　　想怎樣！

　　△　李修國要他們噤
　　　　聲，狄杰志忙輕
　　　　聲安撫黃小嫻。
　　　　李修國，下。

黃千嘉：（拉著樊耀光，挑釁
　　　　地對眾人宣布）光
　　　　哥！我懷孕了！

　　△　狄杰志驚訝不
　　　　已，黃小嫻憤怒
　　　　地推打狄杰志。

　　△　李修國又匆匆上。

李修國：……台上在叫
　　　　「師傅」，該誰

145

△　宮女甲推宮女乙，
　　上。

宮女乙：什麼人？竟敢私闖
　　　　皇太子後宮！

上台了？

△　狄杰志與黃千嘉
　　故做若無其事。

△　樊耀光氣急敗壞
　　上。

樊耀光：後台怎麼搞的？
　　　　宮女為什麼不上
　　　　台？

杜梅詩：(語帶挑釁地)你不
　　　　高興也可以不要
　　　　上台！

李修國：(要眾人輕聲)拜託
　　　　大家演完再說好
　　　　不好？

△　黃小嫻怒氣沖
　　沖，上。

黃小嫻：黃千嘉妳到底想
　　　　怎樣！

△　李修國要他們噤
　　聲，狄杰志忙輕
　　聲安撫黃小嫻。
　　李修國，下。

146

異人：吾乃秦國在趙國抵押為人質的異人，求見我娘華陽夫人！

宮女甲：果真是異人公子？您且稍候，（轉頭吩咐宮女乙）巧然，快去請夫人去！

宮女乙：是！

　　△　宮女乙急下。

黃千嘉：（拉著樊耀光，挑釁地對眾人宣布）光哥！我懷孕了！

　　△　狄杰志驚訝不已，黃小嫻憤怒推打狄杰志。

　　△　李修國又匆匆上。

李修國：……台上在叫「師傅」該誰上台了？

　　△　劉佑珊，上。

劉佑珊：小嫻！拜託！該妳上台了。

　　△　劉佑珊二話不說，拉著激動的黃小嫻，下。

　　△　樊耀光還忙著安慰黃千嘉，杜梅詩上前。

杜梅詩：姓樊的！看你幹的好事！

△　杜梅詩給樊耀光
　　　　一記響亮的巴掌。

李修國：（訝異）妳打他幹什
　　　　麼？

樊耀光：（被冤枉地）妳打我
　　　　幹什麼？

　　△　李修國忙居中拉
　　　　開二人。

杜梅詩：──團長！這種
　　　　人你也讓他待在
　　　　我們劇團？

樊耀光：干我什麼事？她
　　　　平白無故打我一
　　　　巴掌，我怎麼演
　　　　戲？……

　　△　樊、杜二人爭
　　　　吵。李修國推著
　　　　憤怒的樊耀光催
　　　　他上戲，李、樊
　　　　二人下。

　　△　狄杰志上前安撫
　　　　杜梅詩。

狄杰志：不要跟這種人生
　　　　氣！

杜梅詩：（仍自忿忿不平）沒
　　　　本事他就別脫人
　　　　家褲子！你說對
　　　　不對？！

　　△　狄杰志心虛。杜梅
　　　　詩，下。

　　△　黃千嘉不發一語，
　　　　走近狄杰志，狄杰
　　　　志退縮。

　　△　黃小嫻結束台前
　　　　的戲，怒氣沖沖
　　　　回來吵架，狄杰
　　　　志趕緊拉住她。

黃小嫻：黃千嘉！

狄杰志：（擋在黃小嫻前面）
　　　　妳不要管！不要
　　　　管！

　　△　黃千嘉高傲不語。

黃小嫻：（質詢狄杰志）她是
　　　　什麼意思？你是

△　片刻，呂不韋，
　上。

呂不韋： 哈哈哈……恭喜
異人君賀喜異
人君！剛剛你
媽（察覺不雅，
頓）……我是說
你娘啊！她是楚
國人，你穿上楚
國的服裝求見，
你娘必定萬分欣
喜！

△　宮女乙，上。

什麼意思？！

狄杰志： 她胡說八道！聽
我解釋！

△　狄杰志催黃小嫻
先把戲演完，推
著黃小嫻下。

△　杜梅詩上，安慰
黃千嘉。

杜梅詩： 姓樊的真不是東
西！妳放心，我
上台幫妳報仇！

△　黃千嘉解釋不
及，杜梅詩已匆
匆下。

宮女乙： 有……（哭泣）

有……有請夫人！

△ 華陽夫人音樂揚起。

△ 宮女丙、丁，上。
華陽夫人，上。

華陽夫人： 是……巧然！妳來
看，可認得這個
人是誰？

宮女乙：（哭著向前）啟稟夫
人……不認識！
（大哭）

華陽夫人： 是我兒異人嗎！？

△ 呂不韋隨手推異
人跪下，異人吃
痛。呂不韋搖手
示意安慰黃小嫻。

異人： 娘……異人叩見娘
親，異人不孝請
娘親恕罪——

華陽夫人：（扶異人）快快起
身，讓為娘的好
好看看你。

黃千嘉：（崩潰，喊）誰認識
帥哥誰倒楣！

△ 李修國拿一束鮮
花，上。花獻給黃
千嘉，輕聲安慰。

△ 侯明昌拿著一個
包袱，上。

異人：全靠師傅呂不韋君
　　　照顧。（看呂，呂示
　　　意，異人又哭又跪）
　　　娘……

侯明昌：（大嗓門）副導演！
　　　副導演！
　△　李修國要侯明昌
　　　輕聲，下。
　△　狄杰志趕忙衝上。

狄杰志：噓！小聲一點！
侯明昌：（小聲）這個包袱要
　　　交給誰！？
狄杰志：（示意）包袱交
　　　給──趙玉子！
　△　侯明昌將包袱交
　　　給黃千嘉。
侯明昌：（小聲）拿好，不要
　　　忘記。職業道德
　　　哦！
　△　侯明昌將包袱交
　　　給黃千嘉，下。
　△　狄杰志欲下，李
　　　修國衝上，叫住
　　　他。

華陽夫人：不韋君！
呂不韋：（跪）草民呂不韋叩
　　　見夫人！

華陽夫人：我兒異人，一介孤

152

臣孽子遠在趙國，承蒙不韋君照顧有加，我必當啟奏皇太子封賞於你！

呂不韋：（即興）夫人！妳應該先讓草民起身說話！

華陽夫人：（即興）你還是跪著說話！哈哈哈……（華陽夫人得意地笑，呂不韋無奈跪著）不韋君為何於今日攜異人君前來見我？

呂不韋：（即興）夫人先讓草民起身，草民才肯說出原因！

華陽夫人：（即興）你敢站起

李修國：副導演！演詹事的阿剛呢？

狄杰志：我不知道！

李修國：他應該在旁邊盯場，他上哪兒去了？

△　李、狄二人分頭找尋，下。

△　黃千嘉沉默，下。

△　狄杰志自一角匆匆帶著朱剛德上，狄連聲催促，朱慌慌張張戴上冠帽。

△　狄杰志、朱剛德自舞台兩邊分下。

153

來，我叫人把你
拖出去砍了！

呂不韋：（拱手）謝夫人！（不
顧異人阻攔，邊說
邊起身）實因秦昭
王派六十萬大軍
（挑釁，得意地吼
著）我站起來啦！

△ 華陽夫人無可奈
何，呂不韋得意地
繼續說，被匆忙上
場的詹事打斷。

呂不韋：派六十萬大軍──

詹事：（太早上場）啟稟夫
人──

呂不韋：（即興，斥責）我話還
沒說完呢！你來
的太早了吧！？

詹事：（即興）對不起，不
韋君！

華陽夫人：（即興，斥責呂不韋）

你沒有資格說話！讓他說！（轉問詹事）什麼事？詹事？

詹事： 啟稟夫人，宮外有一名婦人懷抱一乳兒——

異人： （搶話）娘！是孩兒在趙娶的媳婦！

詹事： （即興，抗議）我的話也還沒有說完呢！

呂不韋： （即興，打圓場）依我看，我們都知道是誰要來了……（吩咐詹事）你快去請她來吧！

△ 詹事領命欲下，華陽夫人阻止。

華陽夫人： （即興，對呂不韋）

△ 侯明昌抱著兩歲幼童假偶上。他四處張望，尋找趙玉子。

155

你去請她上來！
不韋君！

呂不韋：（即興）我不去！這不干我的事！

詹事：（即興）這當然是我的事！我去請她！

△　詹事，下。

呂不韋：（見詹事去，得意地對華陽夫人笑）哈哈……今日異人與愛妻，戰後重逢，（即興，閃過華陽夫人直接走向異人）我只恭喜異人君！

華陽夫人：（即興）我不稀罕！

△　趙玉子出場的音樂揚起。

△　侯明昌，自另一角，下。

△　李修國與狄杰志，上。

李修國：副導演，那個穿紅衣服的秦始皇怎麼不見了？——趙玉子

156

△　校衛與衛率甲、
　　乙、丙、丁，
　　上，各立一角。

△　眾人等待片刻，
　　趙玉子未上場。

呂不韋：（向後台張望，即興，
　　乾笑）哈哈……
　　夫人妳的宮殿真
　　是愈蓋愈大了！

華陽夫人：（即興）不韋君，你
　　管得太多了吧！

呂不韋：（即興）我是說從外
　　面走進來要很久
　　嗎？

要抱上台的！她
現在抱個包袱不
敢上台你知道
嗎？

△　狄杰志與李修國
　　找尋，下。

△　朱剛德，上。

朱剛德：導演！（四處尋找）
　　導演！

△　朱剛德遍尋不著
　　導演，下。

157

華陽夫人：（即興）那是因為你的腿太短！

呂不韋：（即興）我是說夫人應該派個人去看看！

華陽夫人：（即興）那就派你去吧！不韋君！

呂不韋：（即興，撩起下擺踢腿）我不能去！因為我腿太短！

　　△　停頓。

呂不韋：（不耐煩地催促台側的趙玉子）趙玉子妳不要一直杵在門口快進來吧！

　　△　趙玉子硬著頭皮抱著包袱代替幼童假偶，上。

趙玉子：夫君！

異人：玉子！

趙玉子：夫君！

　　△　朱剛德、李修國，上。

朱剛德：（訝異）導演，那個演趙玉子的，她

異人：玉子！愛妻！快來叩見我娘，仔仔我來抱……（欲接幼童假偶，一見是個包袱，驚嚇）哎喲！仔仔？！

△ 趙玉子硬將包袱丟給異人，示意異人哄包袱。

趙玉子：異人妻，趙玉子，叩見娘！

抱一個包袱上去了！

李修國：（擔憂地）我看到了！

△ 朱剛德、李修國，匆匆下。

△ 狄杰志拉著手抱幼童假偶的侯明昌，上。李修國、朱剛德從另一角，上。

狄杰志：（搶過幼童假偶）團長！秦始皇找到了！怎麼辦？

朱剛德：現在到底該怎麼辦？

李修國：還有救！上台即興！上台即興！

狄杰志：

（同時）怎麼即興？

朱剛德：

李修國：（對朱剛德）我幫你

華陽夫人： 不必多禮！這一
乳兒生得好生俊
俏，來！我抱
抱——

△ 夫人欲接幼童假
偶，一見是個包
袱，驚叫出聲。異
人哭喪著臉把包袱
交到華陽夫人手
中，繼續演示意華
陽夫人哄包袱。

△ 華陽夫人無助地哄
抱著包袱。

呂不韋：（即興，幸災樂禍地戳
穿華陽夫人）夫人
您手中抱的分明

編台詞，我教
你！

△ 李修國帶著朱剛
德匆匆下，狄杰
志送走他們，轉
身罵侯明昌。

狄杰志： 你是哪個劇團派
來臥底的啊？！

侯明昌： 我才不要跟匈奴
人講話咧！

△ 二人互瞪，分下。

是一個包袱！您
還抱得跟真的一
樣！

華陽夫人：（大怒，拎著包袱再
　　　　　給樊耀光一巴掌，
　　　　　即興）你話太多
　　　　　給我跪下！

　呂不韋：（不悅地，即興）草
　　　　　民心願已了，不
　　　　　韋告辭！

華陽夫人：（即興）滾！

　　△　　呂不韋轉身，撞
　　　　　到異人，隨即下。

　　異人：（哭，即興）師傅！

　宮女甲：（無力挽回，即興）師
　　　　　傅！

　　△　　場上靜默。

　趙玉子：（趕緊接回正戲）回
　　　　　娘的話，還差一
　　　　　個月就滿兩歲了。

宮女乙：（哭著上前稟報）啟稟夫人！東廂已派人收拾妥當——

△　宮女乙說完奔向宮女丙、丁，抱著二人哭泣。

華陽夫人：（乾笑，提起包袱問趙玉子）哈哈哈……該會走路了吧？

趙玉子：會的，娘——

華陽夫人：（煞有其事地拉著包袱的兩角，彷彿牽引著小孩兩手走路一樣）……你們瞧這孩子多大的勁，都拉得動我了……

△　詹事抱幼童假偶匆匆上。

△　樊耀光邊走邊脫戲服上，口中不斷咒罵。

樊耀光：（自語）她打我！她敢打我？

△　樊耀光，下。

詹事：（即興）啟稟夫人！臣方才在宮外拾得一名乳兒，（高舉幼童假偶，示意）……不知是誰的？

趙玉子：（會意，即興）娘，是我的！是我的！

華陽夫人：（即興）詹事，還不快把那乳兒抱過來！

詹事：是！

△　詹事將幼童假偶交給趙玉子。

華陽夫人：（舉起包袱，即興）那我手裡抱著的這個小孩是誰的？

詹事：（即興，惶恐）這個臣就不知道了？

△　詹事欲下，異人
　　將包袱拿給詹事。

異人：趕快抱去還給人
家，免得人家的
父母擔心！

詹事：（對異人）是！夫人！

△　詹事拿著包袱，
　　下。

△　華陽夫人接過幼
　　童假偶，重新拉
　　著幼童假偶轉圈。

華陽夫人：（歡天喜地）你們瞧
這孩子多大的
勁，都拉得動我
了……

異人：（即興）是啊！這個
孩子比剛才那個
蒙著面的活潑多
了！

華陽夫人：這孩子叫什麼？

△　朱剛德，上。李
　　修國跟在後。

李修國：阿剛！你還有戲，
你下來幹什麼？

趙玉子：回娘的話，因生於趙邯鄲，所以姓趙——

華陽夫人：趙什麼？

朱剛德：這一場演完了？我要演秦始皇哦！

李修國：（提示他還有未講完的台詞）「傳太卜令給這乳兒卜上一卦！」

朱剛德：（搞不清楚狀況）「臣尊旨！」

李修國：你跟我說幹什麼？上台去演！包袱給我。

　△　朱剛德將包袱交給李修國，下。

　△　狄杰志拿著呂相國的戲服，上。

狄杰志：團長！樊耀光走了！

李修國：（過度焦慮，順口說）走了好！……（猛然想起）不對！戲還沒演完他去

趙玉子：單名一個政，政治的政！

異人：娘！仔仔叫趙政！

△　秦始皇音樂響起。

華陽夫人：詹事──詹事──

△　華陽夫人連聲喊詹事，詹事未上場。

哪裡？

狄杰志：他說要去海邊走走。

李修國：哪一個海邊？台灣四周都是海邊！？不對，他還有兩場戲還沒演完怎麼辦？

狄杰志：團長！我早就跟你說過他不敬業！排戲的時候我替他排呂相國排過好多次……太沒有職業道德嘛！

李修國：（靈機一動，對狄杰志）你代替他演！

狄杰志：我？

李修國：你演呂相國！

△　異人也幫忙喊著
　　詹事。

異人：（即興）詹事！外面
　　　什麼人都可以，
　　　叫一下詹事上
　　　來！

眾人：（接連OS）詹事！

△　詹事匆忙上場。

詹事：臣在！

華陽夫人：明日在東宮午膳，
　　　傳太卜令給這乳
　　　兒卜上一卦！

詹事：臣尊旨！

△　詹事哭泣，欲下。

狄杰志：我演呂相國！？

李修國：你現在去穿呂相
　　　國的衣服，戲不
　　　熟沒關係，你上
　　　台帶著劇本唸！

狄杰志：團長！不用帶劇
　　　本，呂相國的台
　　　詞、地位，我已
　　　經倒背如流。

△　二人，急下。

異人：（即興，斥責）你去哪裡！？不用下去！

詹事：（哭泣，即興）你管我！

△ 詹事，下。

華陽夫人：（問趙玉子）小趙政是哪一年生的？

趙玉子：娘……（黃千嘉再度忘詞）我想不起來了……

華陽夫人：……不要緊！妳總該記得他是什麼時辰生的吧？

△ 趙玉子支支唔唔，異人在旁幫腔，趙玉子向異人求助。

異人：娘問妳他是什麼時辰生的……？

趙玉子：好……對……（示

意異人幫忙說台詞）

異人：（代說）娘！我猜他
　　　　是生於庚寅年正
　　　　月初七酉時！

趙玉子：娘！他猜對了！

　　△　燈光暗。
　　△　轉場音樂。

S11

〈飲鴆自盡〉

情境：

風屏劇團在七月六日的《萬》劇公演，現已進行到第七場〈飲鴆自盡〉，因樊耀光失蹤，呂相國一角由狄杰志臨時瓜代上場演出。

場景：

荒野。

角色：

呂相國（狄杰志代演）、秦始皇（朱剛德飾）、四秦兵（許昂栢、蔡傑順、林羽伯、李煒日飾）。

△　打雷閃電。

△　白紗幕降，依序播放演出片段與字幕：
　　《萬》劇第六場〈嫪毐事件〉演出片段
　　「嫪毐事件　差強人意」
　　「第柒場　飲鴆自盡」

男聲：（OS）西元前兩百三十七年，秦始皇十年。商人出身的大政治家呂不韋，在風雲變幻的政治鬥爭中，徹底失敗。秦始皇十二年，呂不韋被流放巴蜀——飲鴆自盡。

△　打雷閃電。

△　白紗幕升。

△　聚光燈打亮了呂相國所站的土堆，他的腳邊有一杯毒酒。

△　黑暗中的另一角，秦兵甲、乙、丙、丁撐起旌旗、龍帳，秦始皇隱身其後。

△　場上煙霧瀰漫。

呂相國：小趙政啊！是我呂不韋一手把你捏大的，你怎麼不睜開眼睛看清楚——我是誰？

△　打雷閃電。

秦始皇：仲父啊！仲父！

呂相國：（苦笑）你還是不敢承認我就是你的親生父親！

△　另一盞燈光打亮秦始皇所站的角落。

秦始皇：放肆！

呂相國：任憑你有通天的本事，終究還是活在我的影子裡，歷史全會為我記錄下來！

　△　打雷閃電。

秦始皇：呂不韋！你將在我的歷史裡除名，我要你在我秦國的歷史裡永遠消失！

呂相國：我將永遠不會消失——你要承認你的血液裡流著我呂不韋的血——

秦始皇：（憤怒打斷呂不韋）住口！現在天下已是我一人之天下！是我親手用一塊磚、一壘石堆砌出來的大秦國（呂不韋嗤之以鼻），就像長城一樣，我將長生不死！

呂相國：我也將長生不死！人死心不死！你將會看見一個呂不韋、兩個呂不韋、三個呂不韋，你世世代代的子孫將永遠流著我呂不韋的血……

　△　舞台前緣亮起一束束光柱，漸漸地，光柱越來越強，呂不韋和秦始皇被籠罩在這萬丈光芒中。

　△　秦兵甲、乙、丙、丁，下。

　△　靜默。

秦始皇：喝了那杯毒酒，你就死了——

呂相國：（拿起毒酒，慘笑喝下）我將長生不死……

秦始皇： 我將長生不死……

　　△　打雷閃電。

　　△　二人不斷重複著「長生不死」的台詞，雷電聲中，他們
　　　　的聲音漸漸混而為一。

　　△　燈光漸暗。

　　△　白紗幕降。

S12

〈萬里長城〉

情境：

風屏劇團在七月六日的《萬》劇公演，該日的公演已屆尾聲。本場次摘演《萬》劇尾聲〈萬里長城〉。

場景：

萬里長城。

角色：

秦始皇（朱剛德飾）、秦兵十二名（邱峰逸、黃千嘉、劉佑珊、侯明昌、黃小嫻、陳又圓、謝小忻、黃詠浩、許昂栢、蔡傑順、林羽伯、李煒日飾）。

△　《萬》劇尾聲音樂。

△　白紗幕上投影字幕：
　　「尾聲　萬里長城」。

△　燈漸亮。

△　白紗幕後方，八名兵馬俑打扮的秦兵跑圓場上，相互
　　廝殺。四名兵馬俑秦兵持紅旗穿梭其中。十二名兵馬
　　俑造型的秦兵廝殺一陣，陸續下。

男聲：（OS）西元前兩百二十一年，秦始皇二十六年，秦
　　國終於完成統一戰國七雄的千秋霸業！

△　白紗幕升。

△　十二名兵馬俑秦兵陸續上場，擺出操練陣式，不斷變
　　換陣形。

△　萬里長城音樂聲中，十二名秦兵陸續下，又一一持旗
　　跑上。

男聲：（OS）長風幾萬里，吹渡玉門關，秦始皇為中國人
　　留下了他那雄偉、堅強的堡壘——萬里長城、長
　　城萬里、子子孫孫、萬世長新……

△　旁白聲中，秦始皇上，漫步在長城佈景前。

△　十二名秦兵舞畢，揮旗，靜止不動。

△　燈光漸暗。

△　大幕落。

S13

落幕

情境：

七月六日，《萬》劇公演結束。大幕才剛落下，演員馬上就在台上
大吵起來。

場景：

散戲後的空台。

角色：

狄杰志、侯明昌、黃小嫻、謝小忻、陳又圓、劉佑珊、李修國、朱
剛德、杜梅詩、黃千嘉、邱峰逸、黃浩詠、許昂栢、蔡傑順、林羽
伯、李煒日。

△　稍頃，大幕再度升起。

△　場上投射各色光束，十二名兵馬俑在光束下靜止不動，猶如蠟像。

△　過了一會，其中一名兵馬俑黃小嫻突然起身。

黃小嫻：（不悅地）不演了！我不演了……

△　狄杰志穿著呂相國戲服自一角上，其他演員依然靜止不動。

狄杰志：（勸黃小嫻，不耐煩）鬧什麼情緒？不要嘔氣嘛！

黃小嫻：你還想怎麼耍我？你捅這種婁子不是第一次，我為什麼還要幫你？！她是什麼東西？！

△　另一名兵馬俑動了起來，她是黃千嘉。

黃千嘉：（上前對黃小嫻挑釁地說）我甘願被他玩弄，妳想怎麼樣？！

△　黃小嫻衝向前欲與黃千嘉吵架，被狄杰志擋下。兵馬俑劉佑珊起身調停。

劉佑珊：你們現在都不要扯破臉，大家好好溝通好不好——

△　兵馬俑謝小忻、陳又圓動，向前安慰黃小嫻。

狄杰志：（先安撫黃小嫻）小嫻！妳先回家，我晚上給妳電話，一定打！（黃小嫻暫被陳又圓、謝小忻勸住，狄杰志轉向黃千嘉）黃千嘉，我們私底下談一下……

△　狄杰志正欲上前跟黃千嘉講話，兵馬俑邱峰逸動了起來，向前宣布。

邱峰逸： 各位！今天晚上我請大家去pub喝酒！酒後吐真言，一醉解千愁，好不好？帥哥！

　△　邱峰逸用手中旗子戳戳狄杰志，自得其樂地跳起夜店歌舞來。

　△　狄杰志瞪邱峰逸，邱見情況不對，識相地回到兵馬俑陣中，帶剩下的秦兵離去。六名秦兵揮舞旗子，隨邱峰逸穿梭過舞台另一邊，下。

　△　場上剩下狄杰志、黃千嘉、劉佑珊、黃小嫻、謝小忻、陳又圓。

黃千嘉： （激狄杰志）我現在不要跟你講話！最好你現在跟她一起走！風屏劇團沒有你們戲會演得更好！

劉佑珊： （勸黃千嘉）千嘉！現在不是解決問題的時機！妳不要這樣子意氣用事——

黃小嫻： （逼狄杰志）你走不走？

劉佑珊： （勸黃小嫻）不是說解決就解決——

　△　狄杰志不說話。

黃小嫻： （逼狄杰志）你如果現在不跟我走！這輩子你休想再見到我！

　△　狄杰志背轉過身，並未許諾。

　△　黃小嫻等不到想要的回應，氣憤衝下，謝小忻叫住她。

謝小忻： 學姐！我們兩個怎麼辦？

黃小嫻： （對陳又圓、謝小忻）我說不演就是不演！妳們是我請

來幫忙的人，我說走就跟我走！

△　黃小嫻狠狠將旗子丟給狄杰志，帶著陳又圓、謝小忻
下。

△　打雷閃電。

黃千嘉：（故意對狄杰志）我喜歡看到小嫻痛苦的表情，我心裡
面就有一種亢奮的快感！

△　黃千嘉一個飛腿將手中旗子踢給狄杰志，下。

劉佑珊：（留不住黃千嘉，質問狄杰志）……帥哥！你到底在玩弄
誰？！

狄杰志：……我現在就去解決！

△　狄杰志，下。劉佑珊留在原地氣得說不出話。

△　著水衣的李修國、著水衣的邱峰逸、著王鷙戲服的侯
明昌，自舞台一側上。著華陽夫人戲服的杜梅詩自另
一側上。

李修國：（還不知道發生了什麼事，天真地問）現在怎樣？完全沒
有問題了吧！

劉佑珊：（心力交瘁）耀光走了，不告而別！

杜梅詩：（插嘴）耀光不演最好啊！你看今天帥哥演那個飲鴆
自盡的呂相國演得多好！（自己演起呂相國）「我將長
生不死……」

△　李修國、劉佑珊瞪杜梅詩，杜梅詩旋即收斂。

劉佑珊：（憤怒地）黃小嫻不演了！（眾人訝異，劉佑珊悲憤地繼續述說）我們的當家花旦黃千嘉情緒完全反常！（頹喪地）《萬里長城》根本就不應該公演？

△　打雷閃電。

李修國：難道我一手創建的風屏劇團（失神地）就要毀在今天？

邱峰逸：李修國！山不轉路轉、路不轉水轉、水不轉人轉（自己扭動起來）

李修國：（不耐煩地打斷邱峰逸）你到底要轉什麼？

△　劉佑珊，下。

邱峰逸：（遊說）《萬里長城》還有救！改劇本、換角色嘛！

侯明昌：對！換人做做看！

李修國：（考慮著，隨口吩咐杜梅詩）華陽夫人，妳去安慰一下我老婆。

△　杜梅詩應聲，下。

邱峰逸：修國，耀光不演囉！（李修國隨口應著，邱峰逸試探性地問）你演呂不韋的話ok嗎？

李修國：我ok啊！劇本是我自己寫的，呂不韋這個角色我演完全ok！

△　邱峰逸見狀，示意侯明昌開口。

181

侯明昌：（抓住機會對李修國毛遂自薦）……你把我的角色通通刪掉！我跟你演對手戲……我就來演（誤讀「嫪毐」）「尿毒」！

李修國：（見侯明昌連角色名字都記不住，李修國馬上決定）我從頭到尾演呂不韋，把嫪毐的角色通通刪掉！

侯明昌：（著急地）團長！你這樣沒辦法跟觀眾交待！

李修國：觀眾沒有劇本，ok 啦！

邱峰逸：不 ok ！團長，第六場〈嫪毐事件〉主戲是呂相國跟嫪毐的衝突戲，怎麼能不演？！

　　△　三人還在爭辯，狄杰志自一角上。

狄杰志：（還穿著呂相國戲服，聞言自告奮勇）我可以演呂相國。

李修國：（對狄杰志）乾脆，你就演呂不韋、呂相國，你從頭演到底，我還是演嫪毐。ok ！不用改了。

狄杰志：不 ok ！導演，我只會演後面呂相國，前面呂不韋的台詞、地位，我都不熟。

邱峰逸：（靈機一動）ok 了！（眾人納悶，邱峰逸興奮地說明）京劇裡面就有這種安排，一趕二²⁷——前魯肅、後孔明！團長你前面演呂不韋，到第六場〈嫪毐事件〉

27　京劇術語，指在一本戲中，因應故事的進展，令主角前後分飾兩個不同角色的設計。這樣的安排本是為了讓主角從頭到尾都有表現唱段、作工的機會，在《萬》劇中，正好符合風屏劇團為了調度不足的人力，而由李修國前演呂不韋、後演嫪毐的狀態。

的時候，你就變媳毒然後帥哥就可以演呂相國了
（興奮地）ok了！搞定！

李修國：（問狄杰志）帥哥ok嗎！？

狄杰志：不行也得行！明天晚上香港電影公司的老闆要來看
戲，這是我唯一的機會——

△　其他團員，全數上場。

劉佑珊：風屏劇團一定要成功！大家拋棄成見，除掉心裡面
那堵牆！我希望每個人只有一個想法團結！

△　眾人相互打氣，朱剛德怯怯地發言。

朱剛德：（還穿著秦始皇戲服）不好意思，我打個岔！樊耀光他
打電話給我說，明天晚上的慶功宴他不能來了！

杜梅詩：（呆了一下，拉過朱剛德斥責）你在幹什麼啊？！

朱剛德：（辯解）我難過嘛！

杜梅詩：《萬里長城》還有最後一場演出，慶功宴是後天！

朱剛德：（恍然大悟）還有一場！那我打電話跟他說！

杜梅詩：你敢打給他，我就跟你離婚！

△　朱剛德與杜梅詩爭辯著。

李修國：（向眾人宣布）各位！我有一個建議，為了明天晚上
的演出能夠順利——

侯明昌：（突然想起）糟糕了，黃小嫻走了，還少一個宮女，

怎麼辦？

李修國：（邊走邊想）……明天一定有人演宮女，我們先改劇
本！……

　△　李修國與狄杰志吆喝團員們排戲、拿劇本，眾人陸續
　　　下。

　△　士兵與檢場將背台的興安宮景片翻轉回正面。

李修國：（突然看向觀眾席，拉過狄杰志說）等一下！後面怎麼還
有幾個觀眾還沒走？（對遠方的觀眾喊）你們出去不
要說我們改戲了喔？

　△　黃千嘉穿著時裝，自一角上。

　△　李修國下。士兵與檢場，下。場上只剩下狄杰志與黃
　　　千嘉。

狄杰志：（低聲問黃千嘉）妳說妳懷孕了，是真的嘛！？

黃千嘉：（頓了半晌，忍淚回答）……沒有！

　△　狄杰志暗自慶幸。

　△　燈光漸暗。

　△　白紗幕降。

S14

〈異人返鄉〉C

情境：

七月七日，風屏劇團正進行《萬》劇最後一天的公演，本場次摘演《萬》劇第五場〈異人返鄉〉。劇團在前一天已陣前換角，原本罷演的樊耀光與黃小嫻卻又自行回到舞台上演出，導致台上出現兩個宮女乙、三個呂不韋，場面混亂。

場景：

興安宮。

角色：

前呂不韋（李修國飾，以下簡稱呂修）、後呂不韋（樊耀光飾，以下簡稱呂光）、呂相國（狄杰志飾）、前宮女乙（侯明昌飾，以下簡稱宮昌）、後宮女乙（黃小嫻飾）、宮女甲（劉佑珊飾）、宮女丙、丁（陳又圓、謝小忻飾）、異人（邱峰逸飾）、校衛（黃詠浩飾）、衛率甲、乙、丙、丁（許昂栢、蔡傑順、林羽伯、李煒日飾）、華陽夫人（杜梅詩飾）、趙玉子（黃千嘉飾）、詹事（朱剛德飾）。

△　白紗幕降，依序投影字幕：
「七月七日（終演日）」
「風屏劇團　演出」
「萬里長城」
「秦軍攻趙之前　演出堪稱圓滿」
「老天爺啊！」
「第伍場　異人返鄉」

男聲：（OS）西元前兩百五十七年，秦昭王五十年，投機商人呂不韋，終於帶著他投資的政治工具——異人，他們回到了異人公子朝思暮想的興安宮。

△　燈漸亮。
△　白紗幕升。
△　呂修獨自一人在宮內張望。
△　宮女甲、宮昌，自內上。

宮昌：（宮昌扮相滑稽，扭捏作態，一開口就嚇到呂修）什麼人？竟敢私闖皇太子後宮？

呂修：（頓了一下，從宮昌造成的震撼中勉強回復心神）……在下呂不韋，絕非敗類，有要事稟報，盼望立刻求見華陽夫人。

宮昌：呂不韋君且稍候，待奴婢回稟夫人去（欲下）

宮女甲：（阻止）巧然！萬萬不可！此人……絕非善類，冒然請夫人前來，若有差錯，妳、我可是擔待不起！

呂修：二位！是異人公子求見華陽夫人，若有延誤，妳們可是吃罪不輕！（朝外走，邊走邊喊）異人君⋯⋯異人君⋯⋯

△　呂不韋，下。

△　音效誤放，場上響起下一場〈嫪毐事件〉的開場OS。

男聲：（OS，扭曲變速）⋯⋯ 秦始皇（回復正常速度）陰謀進行權力鬥爭，他們衝突的導火線就是——嫪「ㄇㄧㄠ、」毒「ㄅㄨˊ」事件」。

宮女甲：（在OS聲中繼續演）快回稟夫人去！

宮昌：是！

△　二宮女，下。

△　燈光、音效跟著OS誤放，燈暗，場上打雷閃電。

△　呂相國自一角上——狄杰志也以為要演〈嫪毐事件〉，提早上場。

△　燈亮。

呂相國：（走到場中央，還不忘跛腳）老天爺啊！昔日聖賢之君王治理天下必先公而後私，公則天下平。天下，非一人之天下，乃天下之天下也——

△　打雷閃電。

△　異人，上。

異人：師傅⋯⋯師傅⋯⋯（看到不該出現在場上的呂相國，嚇得倒抽一口氣）師傅！⋯⋯（示意狄杰志上錯場）

呂相國：（見狀有些疑惑，但決定忽略，硬是繼續演第六場〈嫪毐事件〉，把飾演異人的邱峰逸當作昌平君）昌平君，去給我好好地搜！

異人：（即興，憑空拿槍貌，扮起昌平君）是！

△　異人「持槍」喊「殺」聲奔下。

呂相國：（繼續演〈嫪毐事件〉）……老天爺啊！難道你是在懲罰我呂不韋嗎！？（打雷閃電）我豈能面對小趙政的陰謀鬥爭而從此束手無策嗎！？

△　異人從另一側再度衝上場。

異人：（拉呂相國，上氣不接下氣）師傅……師傅……

△　宮女甲、宮昌，上。眾人見到呂相國，訝異。

宮昌：什麼人？……（口誤）竟敢私闖皇太后子宮？

△　眾人尷尬，宮女甲趕緊大聲糾正。

宮女甲：皇太子後宮！

宮昌：（頓了一下，附和宮女甲）……對！

異人：（接戲）吾乃秦國在趙國抵押為人質的異人，求見我娘華陽夫人！

△　狄杰志不明就裡，只得步步跟著異人動作。稍頃，狄杰志會意上錯場，只得將自己扮成木頭人，靜止不動。

宮女甲：果真是異人公子？

異人：正是！

宮女甲：……您且稍候！巧然！快請夫人去！

宮昌：是！

△ 宮昌應聲，下。

△ 台後傳來呂不韋的哈哈大笑聲。呂修跟呂光兩人同時，上。李修國照原計畫上場代演呂，不料樊耀光竟突然重返舞台演出，於是台上出現兩個呂不韋站在一起的荒謬畫面。兩人在台上大眼瞪小眼，就在這個尷尬時刻，呂修回頭一瞥竟瞧見場上還有第三個呂不韋——正在裝木頭人的呂相國。呂修在一陣驚慌後，竟跟呂光二人同時講台詞。

二呂：（同步）哈……恭喜異人君，賀喜異人君，出質於趙多年今日回秦，終得一見華陽夫人，真是可喜可賀——

異人：多謝（頓，接連拜過二呂）師傅——

△ 宮昌走上，一拜。

宮昌：有請夫人——

△ 華陽夫人出場音樂。

△ 華陽夫人上，看到台上三名呂不韋，大受驚嚇。

華陽夫人：（勉力鎮定）是……巧然！

宮昌：奴婢在！

華陽夫人：妳去看看可認得這個人是誰？

宮昌：是！

△　宮昌步下宮門台階打量異人，不甚撞到呂修。

宮昌：（對呂修，嬌嗔）討厭！（重新上前打量異人）啟稟夫人！（忘詞）……呃……呃……

宮女甲：（大聲提詞）不認識！

宮昌：（趕緊附和）……對！

△　宮昌回宮門上站定。

華陽夫人：（步下宮門，趨前）是我兒異人嗎？！

異人：娘……（呂修、呂光同時上前推異人跪下，用力過猛，異人仆倒在地。異人忍痛爬起，叩見華陽夫人）……娘！異人叩見娘親，異人不孝，請娘親恕罪！

華陽夫人：快快起身！（扶異人起身，繞圈打量）讓為娘的好好看看你！兒啊！你在趙這麼多年，委屈你了。

異人：全虧師傅呂不韋君照顧……（看呂修、呂光，待二呂同時示意後，異人又哭又跪）娘！

華陽夫人：不韋君……！

△　華陽夫人說著向前走去，不料胸部卻撞上木頭人呂相國的手，尖叫一聲。呂修作勢要她忍耐，華陽夫人將木頭人呂相國的手撥開，勉強走開。

華陽夫人：不韋君……！

呂光：

（同時下跪）草民呂不韋，叩見夫人！

呂修：

華陽夫人：我兒異人，一介孤臣孽子遠在趙國，承蒙不韋君照顧有加，我必當啟奏皇太子封賞於你——

   △   華陽夫人大步前行，不料胸部撞上木頭人呂相國的另一隻手，再度尖叫出聲。

呂相國：（見場面難以收拾，即興起身稟報，順勢收手）啟稟夫人！（指跪在地上的二呂）那裡明明有兩位呂不韋，您指的是哪一位？

華陽夫人：（即興，指二呂）……我指的當然是其中一位，不相干的那個給我下去！

   △   呂修、呂光互視不知誰該下場，二人猶豫片刻，竟同時起身奔下台，留下場上尷尬的眾人。

華陽夫人：（硬著頭皮繼續演）我兒異人，承蒙不韋君照顧有加，我必當啟奏皇太子，封賞於你！不韋君、不韋君——

   △   華陽夫人連聲呼喚，但呂修、呂光均未上場，華陽夫人遂走到跟著張望的呂相國身邊，搭他肩膀。

華陽夫人：（示意呂相國瓜代呂不韋）不韋君！

   △   呂相國不願接戲，欲照樣逃下，但被跪著的異人一把抱住。

異人：（拖著呂相國的腿）……師傅請留步！

華陽夫人：（有強迫意味地）不韋君！

△　呂相國被拉住，推辭不過，勉強擠出一句話。

呂相國：……（語調含糊地）台詞不熟！

△　呂相國搖手示意真的不行。

異人：（搖呂相國腿哭求）師傅！

華陽夫人：（命令）不韋君！

異人：（著急地）師傅！

呂相國：（勉為其難，接戲）看來盛情難卻！是！夫人！（異人放開呂相國腿，呂相國欲走向華陽夫人，想想不對，又回頭堅持跛行走地位）啟稟夫人，草民……不敢居功！（躬身一拜）

華陽夫人：快快起身！

呂相國：（反而惶恐地跪下）謝夫人！

華陽夫人：（即興）不必多禮！異人！還不快向你師傅呂不韋叩首致謝！？

異人：師傅請受徒兒一拜。（叩首）

呂相國：那怎麼好意思！不敢！不敢！不敢……（惶恐叩首回禮）

△　異人與呂相國不停對叩。呂相國受不了，起身向前要走，異人卻正好彎腰叩首，一頭撞上呂相國腹部。異人、呂相國尷尬得不敢動。

△　半晌，呂相國假裝拍異人的頭安慰他，趁機一把將異

人的頭轉開，卻不小心扭傷了異人的脖子，異人痛苦
呻吟。

華陽夫人：（趕緊接戲）⋯⋯不韋君！為何於今日，攜異人前來
見我？

　　△　　異人的脖子不能動，歪著脖子將身體轉到華陽夫人方
向，繼續演戲。

呂相國：（躬身）夫人⋯⋯（忘詞，只好亂講〈嫪毐事件〉裡他
會背的台詞）老天爺啊！你是在懲罰我呂不韋
嗎！？⋯⋯

異人：娘！（歪著脖子下跪，哭）孩兒差點就死在趙王手裡！
娘⋯⋯（吃力地轉身面向華陽夫人）

華陽夫人：（不知道該怎麼接，瞥見呂相國正要逃下場，喝叱呂相國）究
竟怎麼回事，不韋君？

呂相國：（無奈回到場上，開始胡謅）話說⋯⋯秦國有一個
王——

華陽夫人：嗯？

呂相國：秦國有一個大王——

華陽夫人：啊？

呂相國：一個大秦王——

華陽夫人：誰呀？

呂相國：他派了一個軍——

華陽夫人：什麼？

　呂相國：派了一個將軍……大秦王派了一個大將軍——

華陽夫人：對了！

　呂相國：大秦王派了一個大將軍率領了兩萬騎兵——

華陽夫人：（提示）太少！

　呂相國：（改口）二十萬——

華陽夫人：（糾正）六十萬！

　呂相國：（硬轉）加四十萬！二十萬加四十萬騎兵去攻打……

　　　　　丹田——

華陽夫人：（訝異）打丹田？

　呂相國：不是，攻打田單！

華陽夫人：田單是個人！

　呂相國：沒錯！（開始亂扯）田單這個人大家都很熟悉，「田單

　　　　　復國」——講的就是火牛陣……

華陽夫人：說重點！

　呂相國：（以為在講「田單復國」）……重點是牛尾巴要點火！

　　　　　（做火牛貌）

華陽夫人：（拉回〈秦軍攻趙〉）重點是——打仗！

　呂相國：（回想〈秦軍攻趙〉大意）戰況非常激烈！……

華陽夫人：（應聲）噯！（呂相國說完欲下，華陽夫人追問）然後呢？

呂相國：（被叫住）然後就是……然後呂不韋就——

　△　呂修從翼幕伸出一隻手，搖手示意呂相國下台，呂相
　　　國不解其意。

華陽夫人：（應聲）欸！對！他就怎麼了啊？

呂相國：（誤會呂修的意思）然後……他就……死翹翹了！

華陽夫人：呂不韋就死翹翹了！？

　△　呂相國愈說離側台愈來愈近，企圖逃下場，就在翼幕
　　　邊，呂修將呂相國拉下，並且立即上台救戲。

呂修：（立即接詞，更正）呂不韋沒有死翹翹，他又死裡逃
　　　生了！兩軍在邯鄲，不是田單！兩軍在邯鄲城外
　　　三十里地，安寨紮營。貴國王齕大將軍與趙國廉
　　　頗老將軍展開數回猛烈攻擊……（也忘詞，慌亂地）
　　　然後他那個……

華陽夫人：（即興）不韋君！然後怎麼樣了？

呂修：（即興）我怕夫人前面沒聽懂，我再說一次！（回
　　　詞）……兩軍在邯鄲城外三十里地，安寨紮營。
　　　貴國王頗大將軍與趙國廉頗老將軍，他們兩個頗
　　　將軍就跛著跛著打——

　△　呂修邊說邊往後台求救。呂光背台而上，緊貼在呂修
　　　身後，兩人合而為一，呂修收束雙臂、呂光從他背後
　　　露出雙手代為比劃動作，兩人演起「雙簧」。

呂光：（在呂修背後發聲）趙王（雙手跟著比劃）

呂修：（跟著呂光念）趙王——

△ 呂修看錯方向，呂光的手忙將呂修的頭調整到正確方位。

呂光： 在邯鄲城內——

呂修： 在邯鄲城內——

呂光： 下令廷尉公孫侯——

△ 兩人無默契，呂光手掩住呂修嘴，阻止呂修出聲。

呂光： 噓！

△ 呂修會意，呂光在他背後一口氣說完台詞，呂修對嘴。

呂光：　　　　趙王在邯鄲城內下令廷尉公孫侯，執意要

　　　　殺貴國人質異人公子——

（同時）

呂修：　　　　（配合呂光的聲音、手勢，無聲對嘴）

△ 好不容易說完，二呂鬆了一口氣。

呂光：

（同時）唉！

呂修：

△ 呂光手從背後給呂修擦汗、抓癢，還摘下自己的帽子給他搧涼。

△ 呂修鬆懈忘形，大踏步向華陽夫人，躲在他身後的呂

光露餡。眾人尷尬，呂光只好裝木頭人。呂修不知怎麼收拾這場面，也裝起木頭人。

異人：（趕緊接戲）……娘！是師傅（指兩個木頭人）拿出黃金六百斤，收買了邯鄲東門守關吏，孩兒才得以和師傅逃至秦軍營，倖免一死！娘！……（歪著脖子跪下）

華陽夫人：不韋君！……不韋君！（兩個木頭人不知到底誰要回應，反而兩人都不動。華陽夫人即興怒道）我說隨便哪個不韋君！

呂光：

（同時）草民……

呂修：

呂修：（即興，推給呂光）他在！

呂光：（即興）我在啊！？（呂修又裝起木頭人，呂光只好接戲）……那就我在吧！（下跪）草民呂不韋叩見夫人！

華陽夫人：我見你如此忠心義魄，拼一死保駕皇太孫無以為報，區區一塊玉珮（一摸腰上又忘了帶玉珮，尷尬地即興）哈……玉珮我放在後宮了，來人哪！誰去幫我拿玉珮來？……（眾宮女無人敢接戲，華陽夫人改喚呂光）不韋君！

呂光： （即興）我不能去，我的腿太短！（私事公演）我也不
知道玉珮在哪裡？（看呂修）你可以叫他去！他什
麼都知道！

呂修： （即興）我不能動——我是木頭人！

華陽夫人： （即興）這樣吧！玉珮……我改天再給你吧！？

呂光： （跪拜）謝夫人隆情厚誼！

　△　呂相國拿著玉珮衝出，解圍。

呂相國： （即興）啟稟夫人！玉珮在我這兒！

華陽夫人： （即興）既然有玉珮，那就拿過來吧！

呂相國： 是！夫人！

　△　呂相國走了幾步想起要跛腳，又回頭重新一跛一跛地
走到華陽夫人跟前。待他要把綁在腰帶上的玉珮取下
時，繩子卻解不開。華陽夫人只好拿著玉珮，拖著呂
相國走向呂光。

華陽夫人： 來！待我親手為你配上（硬是把玉珮交給跪在地上的呂
光，呂相國也因重心不穩，順勢跪下。華陽夫人回戲）巧
然！

宮昌： 奴婢在！

華陽夫人： 妳快喚人去東廂打點，異人今後就住在那兒了。

宮昌： 是！

　△　宮昌應聲，下。

198

呂光：（終於解開玉珮，拎著鞋子起身要走）草民心願已了，不韋告退——

△　呂修擔心呂光真走了，忙追上，呂相國緊跟在後。

異人：師傅！請留步！（三呂撞成一堆）師傅您今晚一個人……（頓，硬著頭皮對三呂說）一個人回邯鄲，未免孤單，（亂講台詞）不如就留在宮裡睡我的被單！

三呂：（吃驚地，同時）這個……

華陽夫人：（乾笑，對三呂）哈……不韋君，你就留下吧！

三呂：（同時躬身）謝夫人隆情厚誼！

△　詹事，上。

詹事：啟稟夫人！宮外有一名婦人，懷抱一（看到呂光，意外）耀光！

△　詹事情緒激動，哭了起來。

呂修：（即興，提示詹事繼續演出）啟稟夫人！詹事有事要稟報！

詹事：（回戲）對！宮外有一名婦人，懷抱一乳兒……

（忍不住又哭了起來）

呂修：（即興）你哭什麼？

呂光：（即興）是啊！是件喜事嘛！

詹事：（私事公演，指呂光）啟稟夫人，其實這位不韋君他是

被一個黑道立法委員的假股票給坑的──

華陽夫人：（即興，私事公演）這事昨晚你已經跟我稟告過了。

詹事：（忘形聊起私事）可是夫人您有所不知，這假股票其實一點也不假──

呂修：（即興，拉住詹事）詹事詹事！不要提私事！

詹事：（醒覺）……是！是！是！

　△　詹事又要下，呂修留住詹事，作勢要他演戲。

呂修：（給詹事提詞）啟稟──

詹事：（沒想起來）啟稟？

呂修：（提詞）啟稟夫人！

詹事：（還是沒想起來）啟稟夫人──？

呂修：（只好代說）宮外有一名婦人──

詹事：（應聲）女的！

呂修：（代說）懷抱一乳兒──

詹事：（應聲）小的！

呂修：（代說）求見夫人──

詹事：（應聲，得意忘形）找妳的！

呂修：（忍不住怒對詹事）這是你的台詞！

　△　詹事不知所措，在一旁急哭。

華陽夫人：（接戲）什麼人？

詹事：（回戲）喔！對！那個人她說她是自秦國……

呂相國： （糾正）趙國！

詹事： （結結巴巴地）從趙國投奔而來，她還說她是……妻子異人的公子——

呂修： （怒，大聲糾正）異人公子的妻子！

　△　呂修理智崩潰，欲打詹事，呂光與呂相國忙拉住他。

異人： （接戲，亦口誤）娘！是孩兒在趙國娶的公子。

呂光： （崩潰大吼，糾正）妻子！

　△　換呂修與呂相國拉住爆怒的呂光。

華陽夫人： （接戲）快快有請！

　△　三呂一再示意詹事接戲，詹事只是在一旁哭。

三呂： （忍不住對詹事大吼，提詞）臣尊旨！

　△　詹事慌張應聲，下。

三呂： （動作一致）哈……今日不但是異人與夫人母子相會，異人與愛妻，更是戰後重逢，恭喜夫人！賀喜異人！

　△　趙玉子出場的柔美琴聲揚起。

　△　開路的校衛與四名衛率上，對夫人行禮，各立一角。

　△　趙玉子上場——她又忘記帶幼童假偶。

異人： 愛妻！快來叩見我娘，仔仔我來（趙玉子順勢要給幼童假偶，發現手上空空，兩人同聲脫口驚叫）抱！

　△　異人一嚇，脖子反而好了。

△　趙玉子手中空無一物，卻仍硬著頭皮作狀，擬將幼童假偶交給異人，並要他哄抱，異人背轉過身以袖子遮掩，假作哄抱幼兒。

趙玉子：（向華陽夫人下拜）異人妻趙玉子叩見——娘！

華陽夫人：好好好，不必多禮！

　△　華陽夫人說著大步向前要接幼童假偶，趙玉子心虛地阻擋她。

趙玉子：……娘！

華陽夫人：（繞過趙玉子）這一乳兒生得好生俊俏。來！我抱抱……

　△　華陽夫人看到異人手上是空的，驚慌失措，異人又空手作勢要將幼童假偶交給華陽夫人，華陽夫人死也不肯接。

　△　宮昌，上。不料，黃小嫻飾演的宮女乙也抱著幼童假偶，上。

　△　宮女丙、丁，亦上。

宮昌：　　　　　　　　（忘詞）呃……

（同時）啟稟夫人——

宮女乙：　　　　　　（補上）東廂已著人收拾妥當！

宮昌：（附和）……對！

　△　宮昌馬上裝起木頭人，把戲讓給宮女乙。衛率甲、乙即興上前，把木頭人宮昌搬到殿門中央擺放。

宮女乙：（即興，高舉幼童假偶）啟稟夫人，奴婢在後花園拾得一乳兒，不知是誰的？

趙玉子：（即興）娘！是我的，是我的……

華陽夫人：（接幼童假偶，牽幼童假偶繞圈）哎喲……你們瞧這孩子多大的勁兒，都拉得動我了……

三呂：（同時）這孩子好可愛啊！

宮女乙：（私事公演）奴婢來晚了，請大家見諒！

華陽夫人：（即興，對宮女乙）來了就好……（對趙玉子）這孩子叫什麼？

呂相國：（私事公演，對著飾演宮女的黃小嫻）啟稟夫人！草民想與那巧然姑娘說兩句話——

　△　木頭人宮昌誤以為在叫自己，恢復成宮女，上前。

宮昌：（即興，嬌聲對狄杰志）奴婢叫巧然！你有什麼話，跟我說！

　△　眾人瞪宮昌。

呂修：（即興）那個不男不女的妖奴婢，給我下去！

宮昌：（對呂修，即興）……你們男人真的很賤！

　△　宮昌跺腳退回原位。

呂光：（即興，給華陽夫人提詞）夫人！您現在應該關心手上抱著小趙政這孩子的身世。

華陽夫人：不韋君說得對！（對外喚）詹事……詹事……

△　　華陽夫人一再呼喚，詹事遲遲未上場。

呂光：（即興）夫人請說！不韋待會兒再轉告他一聲。

華陽夫人：明日在東宮午膳，傳太卜令給這乳兒卜上一卦！

呂光：（代演）是，夫人！

華陽夫人：（問趙玉子）他是哪一年生的啊？

趙玉子：娘！是頭二年……秦昭王四十八年。

華陽夫人：好！他是什麼時辰生的啊！？

　△　　詹事穿著秦始皇戲服衝上場。

詹事：臣——在！

華陽夫人：（跳過詹事，問趙玉子）娘是問妳——他是什麼時辰生的？

詹事：（即興地）這個——臣就不知道！

華陽夫人：（拉回正戲，問趙玉子）娘最後一次問妳，他是什麼時辰生的？

　△　　趙玉子實在想不起來。

眾人：（忍不住代答，齊聲大吼）娘！他生於庚寅年正月初七酉時！

詹事：（狀況外，亂講台詞）臣尊旨！

　△　　眾人倒。

　△　　燈暗。

　△　　白紗幕降。

△　　白紗幕上依序投影字幕：

「唉！」

「期待五年後──」

「再見　風屏劇團」

── 全劇終 ──

附錄

關於李國修

Hugh K.S. Lee（1955.12.30～）

生平與創作

　　李國修集劇團創辦人與經營者、劇作家、導演、演員於一身，第一屆國家文化藝術基金會文藝獎戲劇類得主及多項戲劇獲獎紀錄。迄今原創編導三十齣叫好又叫座的大型舞台劇。而個人演出超過百種角色，舞台表演逾千場，是當代華人劇壇深具成就的全方位戲劇藝術家。

　　祖籍山東萊陽的李國修，1955年生於台北市中華路鐵道旁違章建築，成長於西門町的中華商場，畢業於世界新專廣播電視科。1980年加入「蘭陵劇坊」受到吳靜吉博士的啟發，獲得劇場養分，並因參與電視節目《綜藝100》短劇演出，在1982年獲「第十七屆金鐘獎最具潛力戲劇演員獎」，進而成為家喻戶曉的喜劇演員。1986年成立「屏風表演班」，一路堅持原創，搬演台灣這片土地上的生命故事，使屏風成為華人地區重要的演出團隊。

李國修認為劇作家是靠著生命、情感和記憶來創作。因此，他身為外省第二代、以戰後兩岸分隔的歷史事實，為父執輩編導出關於老兵對家鄉思念的故事《西出陽關》，並以劇中「老齊」一角，被媒體評譽為「最接近卓別林高度的演出」。

引發台灣劇評讚譽最多的《京戲啟示錄》，是李國修為自己做京戲戲鞋的父親而寫。李父家訓「人，一輩子能做好一件事情，就功德圓滿了。」更成為李國修的座右銘。戲劇專家評譽「李國修以個人生命經驗，觸動集體記憶之海」、「《京戲啟示錄》可說是有如神助，場面調度在這齣戲裡靈活到了極點」、「它亦喜亦悲，悲喜交迸，充盈著時代風雨與人生際遇，蘊蓄著歷史厚度與生活實感」；「《京戲啟示錄》最明顯的符號就是戲鞋和中華商場，這對新一代的我們來說，已經成為一種文化遺產」等。此劇啟發無數觀眾對人生追求的意義，成為華人劇壇的榮耀之作。

李國修從尋根到定根，繼而為母親創作《女兒紅》，表達對母親的追憶，也是他對個人的生命旅程與家族歷史，做的一場最深沈告白。影評人聞天祥稱李國修是用舞台說故事的大師，能把家庭點滴化為時代縮影，跨越了性別的侷限，展現炫目的時空魔法以及永不嫌多的情感與寬容。李國修也為兒子創作魔術奇幻劇《鬆緊地帶》、為女兒創作《六義幫》等。

李國修並不是一個有特定風格、特定形式的編劇，他喜歡用不同的體裁、不同的形式來創作，每個作品都以不同的

主題進行探索。如他創作的「風屏三部曲」系列《半里長城》、《莎姆雷特》、《京戲啟示錄》，藉戲中戲的形式，探究劇場與人生之間的微妙關係。國際作家陳玉慧分析，李國修擅長解構主義，能將台灣社會現象及小市民心理，處理成悲喜交加的戲劇文本，也是台灣劇場創作者中最精闢於解構之道的人。

　　李國修也針對時事，以戲劇角度反映社會現象，如《救國株式會社》、《三人行不行I~V》城市喜劇系列。而對現代男女複雜的情愛關係，他也提出獨特的戲劇手法予以詮釋，台灣戲劇學者于善祿稱譽李國修的《婚外信行為》比英國劇作家哈洛品特（Harold Pinter，1930-2008）的《情人》還要深沈，藝術技巧更高超。

　　為向莎士比亞致敬，李國修將經典悲劇《哈姆雷特》改編成爆笑喜劇《莎姆雷特》。台灣莎士比亞學權威彭鏡禧教授評譽：「李國修用他縝密的頭腦，幾乎是以數學概念在精算《莎姆雷特》每個場次的角色上下進出，將一齣大悲劇顛覆成喜劇，這當中的編劇技巧相當高超。」而改編自陳玉慧原著小說的《徵婚啟事》，探討都會女性的婚姻態度，也挖掘現代男人的寂寞，李國修更在台上一人分飾二十個應徵男子，挑戰表演的極限；此外，李國修也以眷村故事探討庶民記憶，改編原著張大春小說的《我妹妹》，並入選為中國時報年度十大表演藝術。

　　李國修認為，在這無限想像的劇場黑盒子裡「空間不存在、時間無意義」，他也認為劇場是造夢的場域，因而在許多

作品裡，李國修讓觀眾對舞台空間有嶄新的視覺體驗。1994年《西出陽關》舞台上呈現磅礡大雨的視覺特效；2002年《北極之光》的雪地極光幻化場面；2003年《女兒紅》百位演員同台、爆破場面震撼人心；2005年《好色奇男子》三千顆燈泡，營造萬點星光搖曳生輝的壯闊場景；2008年《六義幫》全劇超過五十個場次、一百一十五個角色，全場不暗燈，舞台呈現電影蒙太奇般的場景流動。

此外，李國修的戲劇文本繁複巧妙，不但角色人物面貌多端，而情節內容更是幾條主線同時進行，最後在重疊相交時，戲劇張力便達到不可預期之最高潮。所以，李國修獨特的舞台劇風格，總能在觀眾笑聲中抓緊時代脈搏，在娛樂中顯現省思的功能。

李國修對劇場的熱情不僅止於反應在屏風表演班的作品上，他對於提攜演員，更是不遺餘力。其中表現傑出的有：郭子乾（第卅八屆金鐘獎最佳主持人）、曾國城（第四十一屆金鐘獎最佳主持人）、楊麗音（第四十一屆金鐘獎最佳女主角）、林美秀（第四十六屆金鐘獎迷你劇集最佳女主角）、樊光耀（第四十屆金鐘獎單元劇最佳男主角）、萬芳（第卅九屆金鐘獎最佳女主角）、黃嘉千（第四十四屆金鐘獎最佳女配角）等，這不僅使李國修成為金鐘獎頒獎典禮上，最多得獎者感謝的對象外，更讓「屏風表演班」等於「屏風鍍金班」的名號不脛而走。

近年來，李國修致力深耕表演藝術，曾至台北藝術大學、台灣大學、靜宜大學、台南大學開設專業戲劇課程，也受

邀至政治大學、中山大學、成功大學、東華大學、海洋大學、世新大學、清雲科技大學等校擔任駐校藝術家,並走訪各地進行超過千場以上的表演藝術講座。

李國修的作品記錄台灣環境的變遷與時代流轉,為這片土地留下了豐富的戲劇人文面貌。他以戲劇表達對生活的態度、生命的情感,亦期待觀賞者能從中獲得自我省思,這即是李國修致力推動的劇場理念 ──「看戲修心,演戲修行」。

重要獲獎記錄

1997年,獲頒「第一屆國家文化藝術基金會文藝獎戲劇類」得主。

1997年,以《三人行不行》系列劇本創作獲頒「第三屆巫永福文學獎」。

1999年,由紐約市文化局、林肯中心、美華藝術協會共同頒予「第十九屆亞洲傑出藝人金獎」。

2006年,由台北市文化局頒予「第十屆台北文化獎」。

2011年,以《京戲啟示錄》劇本創作獲頒「第卅四屆吳三連文學獎戲劇劇本類」得主。

2012年,由上海現代戲劇谷「壹戲劇大賞」頒予「戲劇精神傳承獎」。

其他出版作品

2004年,《人生鳥鳥》,台北:未來書城。

2011年,與妻子王月共同出版《119父母》,台北:平安出版社。

屏風表演班
一個台灣的藝術奇蹟

　　1986年10月6日，當時家喻戶曉的電視喜劇演員李國修，因早年出身劇場仍不忘對舞台的熱愛，藉「一群戲子伶人，無處不劇場，甚以屏風界分為台前台後，都可經由台上的演出，反映台下的生活」為草創理念，成立了屏風表演班。團長李國修將自家位於台北景美十坪地下室的房間作為排練場，在狹小空間裡，演員常常走位時，不小心走上了床，踩上了書桌……

　　屏風表演班第一個創團作品《1812＆某種演出》就是在這種拮据的環境下排練出來的。這齣戲在演出結束後，只有七十六個人留下了他們的資料，成為第一批的屏風之友。回首廿餘年漫長的劇場路，屏風之友的人數已逾十五萬人次，觀賞過屏風作品的觀眾，更是已超過一百四十二萬人次。

屏風作品的多元特色

　　屏風表演班共發表四十回作品，演出類型涵蓋喜劇、悲劇、或融合傳統京劇、流行歌舞、魔術科幻等戲劇形式，呈現

多元風貌；關懷層面遍及人際關係、歷史探索、老兵議題、政治情勢、民生現況、家庭情感等生活息息相關的社會議題。

在藝術總監李國修的帶領下，屏風的作品富有嚴謹的結構與解構手法、多重時空的跳躍敘事、演員一人分飾多角表演的豐富性，以及講究多變佈景的舞台美學等，造就屏風作品呈現不同於其他劇團演出形式的最大特色。

此外，屏風表演班並有「系列作品」的創建，其中包括《三人行不行》I～V城市系列作品；風屏劇團三部曲《半里長城》、《莎姆雷特》、《京戲啟示錄》；以及社會議題系列《民國76備忘錄》、《民國78備忘錄》、《西出陽關》、《救國株式會社》；家變系列《黑夜白賊》、《也無風也無雨》、《我妹妹》；兩性關懷系列：《徵婚啟事》、《未曾相識》、《婚外信行為》、《昨夜星辰》；台灣成長系列《港都又落雨》、《蟬》、《北極之光》、《六義幫》等。

而為長期營運的考量之下，屏風規劃每五年為一期，推出屏風「定目劇」的定期巡演。將屏風歷年叫好叫座的好戲，每隔五年，重新賦予新意，讓未曾看過屏風作品的觀眾感受經典的魅力，也讓看過的朋友再次感動回味。1988年首演的《西出陽關》於1994年重製演出，是屏風表演班第一齣以定目劇形式巡演的經典劇碼。

劇場永續經營的先行者

屏風表演班以建制全職專業劇團為目標，以永續經營為理念，以推廣表演藝術為己任。在藝術總監李國修的堅持下，每年至少推出兩部作品，內容為全新創作或定目劇經典再現。維持團務常態性運作和製作新戲的經費，百分之九十二來自票房收入，其他由文化部、國家文化藝術基金會、各縣市文化局處等的贊助。屏風已是台灣少數能「以戲養戲」自食其力的劇團。

為促進藝術交流多元化，屏風表演班於1996年首創民間劇團主辦演劇祭，連辦五屆（1996~2001年）獨立出資邀請香港進念・二十面體、新加坡必要劇場、日本Pappa TARAHUMARA劇團等抵台演出，同時也提供演出經費給予有潛力的國內表演團體（如：莎士比亞的妹妹們的劇團、台北曲藝團、神色舞形舞團等）。一方面活絡台灣表演藝術環境，另一方面，亦促成對國際藝文交流的貢獻。

除各城市劇場的大型演出之外，屏風也不定期舉辦各種與戲劇相關的活動，致力藝文推廣。2007年開始，以「小戲大作」之概念，將歷年受歡迎的經典小劇場劇碼，推行至各大校園、機關團體與公司行號，在各地常態性巡演。爾後，更精緻化推出「藝饗巴士」專案系列活動，結合演講、表演課程、藝術行銷講座、劇場幕後導覽等戲劇延伸活動，建構大眾與藝術之間的互動橋樑。

屏風出品，台灣驕傲

全球化來臨的時代，屏風堅信「local is global」的概念，以心用情寫台灣這塊土地上的人事景物情，在作品中反應社會現象，掌握城市脈動，以台灣人的觀點與創意來詮釋這個世界，讓屏風的作品更兼具現代與本土兩種特色，成為華人地區重要的演出團隊。

第十七回作品《救國株式會社》受邀前往紐約，屏風於1992年初次踏上世界舞台，在僑界掀起一陣狂瀾；1994年《莎姆雷特》應上海現代人劇社邀請參加「一九九四上海第二屆國際莎劇節」，成為台灣第一個在大陸登台的現代劇團；1995年《半里長城》與洛杉磯華人戲劇社團「伶倫劇坊」合作，這是第一個在台美兩地同步演出的劇目。

1996年《莎姆雷特》受邀至世界五大古蹟劇場之一的加拿大多倫多「安省國家劇院」演出，成為第一個登陸加國的台灣劇團；同年，《半里長城》再受香港市政局主辦之「第十六屆亞洲藝術節」邀請，在香港大會堂演出，亦是台灣第一個受邀的現代戲劇團體；2007年，《莎姆雷特》受邀至大陸，參與「第七屆相約北京」演出，票房一掃而空，並獲演出謝幕時，現場全體觀眾起立鼓掌八分半鐘的成績。

2008年初，屏風應北京國家大劇院「開幕國際演出季」之邀請，再度前往演出《莎姆雷特》，成為該院第一個受邀演出

的台灣現代戲劇團體。2010年應上海世博「兩岸城市藝術節－臺北文化周」邀請，以《三人行不行》締造謝幕時全場起立鼓掌長達五分五十八秒記錄，旋即趕赴北京參與「2010京台文化節」巡迴演出。2011年12月，《京戲啟示錄》首度在上海演出，令台下觀眾無一不受其巨大震撼與感動。

2010年11月，屏風表演班改編魯凱族「巴冷傳說」浪漫優美的人蛇戀愛情神話，為「2010臺北國際花卉博覽會定目劇」打造原創魔幻歌舞秀《百合戀》，動員百人，建構台灣第一座升降式水舞台（寬十米、深九米），瞬間轉換地面及湖水場景，不禁令人歎為觀止。《百合戀》連演一百九十六場，創下全台三十萬人次觀賞記錄，成績斐然！

放眼過去，屏風從觀眾席只有一百個座位的小劇場，走上現今的世界舞台，成為台灣當代最具代表性的現代戲劇團體之一，不容忽視的是，屏風作品不僅堅持「台灣製造」，並具有原創性、娛樂性與藝術性，可謂「屏風出品，台灣驕傲」！

時至今日（2013年3月），屏風表演班已陸續完成1,692場次的演出，歷年作品巡迴超過海內外二十二個城市，觀眾人數累積至1,427,782位，這是個驚人的紀錄。在藝文環境未臻成熟的台灣，屏風表演班仍能在作品裡持續展現高度藝術成就與穩定的票房收入，這絕對是一個「台灣的藝術奇蹟」！

李國修戲劇作品集與屏風表演班作品關係表

李國修戲劇作品集出版序號	創作年份	書名/劇名
01	1989	《半里長城》
02	1992	《莎姆雷特》
03	1996	《京戲啟示錄》
04	2003	《女兒紅》
05	1987	《三人行不行Ⅰ》
06	1988	《三人行不行Ⅱ─城市之慌》
07	1993	《三人行不行Ⅲ─OH！三岔口》
08	1997	《三人行不行Ⅳ─長期玩命》
09	1999	《三人行不行Ⅴ─空城狀態》
10	1987	《婚前信行為》
11	1988	《民國76備忘錄》
12	1988	《西出陽關》
13	1988	《沒有我的戲》
14	1989	《民國78備忘錄》
15	1990	《港都又落雨》
16	1991	《救國株式會社》
17	1991	《鬆緊地帶》
18	1991	《蟬》
19	1993	《徵婚啟事》
20	1994	《太平天國》
21	1997	《未曾相識》
22	1999	《我妹妹》
23	2001	《婚外信行為》
24	2002	《北極之光》
25	2005	《好色奇男子》
26	2005	《昨夜星辰》
27	2008	《六義幫》

英文譯名	屏風表演班演出序號
The Half Mile of The Great Wall	第十一回作品
Shamlet	第廿回作品
Apocalypse of Beijing Opera	第廿五回作品
Wedding Memories	第卅四回作品
Part I of Can Three Make It：Not Only You And Me	第三回作品
Part II of Can Three Make It：City Panic	第九回作品
Part III of Can Three Make It：Oh! Three Diverged Paths	第廿一回作品
Part IV of Can Three Make It：Play Hard	第廿七回作品
Part V of Can Three Make It：Empty City	第廿九回作品
Premarital Trust	第二回作品
Memorandum of 1987, Republic of China	第五回作品
Far Away from Home	第六回作品
A Play Without Me	第七回作品
Memorandum of 1989, Republic of China	第十三回作品
Rainy Days in Port City, Again	第十五回作品 暨高雄分團創團作品
Nation Rescue LTD.	第十七回作品
The Twilight Zone—Back to Tang Dynasty	第十八回作品
Cicada	第十九回作品
The Classified	第廿二回作品
The Kingdom of Paradise	第廿三回作品
Are You The One	第廿六回作品
My Kid Sister	第卅回作品
Extra-Marital Correspondence	第卅一回作品
The Aurora Borealis	第卅三回作品
Legend of a lecher	第卅五回作品
Last Night When The Stars Were Bright	第卅六回作品
Stand by Me	第卅八回作品

半里長城

發行人	李國修
作者	李國修
責任編輯	林佳鋒
美術編輯	北土設計
文字編輯	謝佳純／洪子薇
文字校對	黃毓棠／黃致凱
美術執行	吳宜珊
出版	印刻文學生活雜誌出版有限公司｜INK Literary Monthly Publishing Co., Ltd. 23586新北市中和區中正路800號13F-3 Tel 02-2228-1626　Fax 02-2228-1598 http://www.sudu.cc　ink.book@msa.hinet.net
印刷	海王印刷事業股份有限公司
發行	成陽出版股份有限公司 Tel 03-358-9000　Fax 03-355-6521 郵政劃撥 19000691　戶名 成陽出版股份有限公司
港澳總經銷	泛華發行代理有限公司 香港筲箕灣東旺道3號星島新聞集團大廈3樓 Tel 852-2798-2220　Fax 852-2796-5471 http://www.gccd.com.hk
出版日期	2013年5月 初版
定價	NT$ 200

屏風表演班 Ping-Fong Acting Troupe
11661 台北市文山區興隆路四段111號B1
B1,No111,Hsing-Lung Rd.Sec.4,Taipei City 11661,Taiwan
Tel 02-2938-2005　Fax 02-2937-7006
http://www.pingfong.com.tw　pingfong@pingfong.com.tw

國家圖書館出版品預行編目資料

半里長城／李國修 著
初版--新北市：INK印刻文學：2013.05
224 面；14.8×21 公分--（李國修戲劇作品集；1）
ISBN 978-986-5933-65-4（平裝）

854.6　　　　　　　　　　102003866

如 有 破 損 缺 頁 請 寄 回 更 換